Nous remercions le ministère du Patrimoine canadien,
la SODEC et le Conseil des Arts du Canada
de l'aide accordée à notre programme de publication

 Patrimoine   Canadian
canadien   Heritage

sodec
Québec   Conseil des Arts   Canada Council
du Canada   for the Arts

– Programme de crédit d'impôt
pour l'édition de livres
– Gestion SODEC

Nous reconnaissons l'aide financière
du gouvernement du Canada
par l'entremise du Fonds du livre du Canada
pour nos activités d'édition.

Illustration de la couverture :
Peter Boyadjieff

Montage de la couverture :
Grafikar

Édition électronique : CompoMagny enr.

Dépôt légal : 2e trimestre 2015
Bibliothèque et Archives Canada
Bibliothèque et Archivs nationales du Québec

234567890 IML 0987654

Copyright Ottawa, Canada, 2015
Éditions Pierre Tisseyre inc.
ISBN : 978-2-89633-336-3
11658

Mon frère n'est pas une asperge

Lyne Vanier

Mon frère n'est pas une asperge

Roman

**ÉDITIONS
PIERRE TISSEYRE**
w w w . t i s s e y r e . c a

55, rue Maurice
Rosemère (Québec) J7A 2S8
Téléphone : 514-335-0777 – Télécopieur : 514-335-6723
Courriel : info@edtisseyre.ca

Catalogage avant publication de Bibliothèque et Archives nationales du Québec et Bibliothèque et Archives Canada

Vanier, Lyne

    Mon frère n'est pas une asperge

    (Collection Conquêtes ; 149)
    Pour les jeunes de 14 à 17 ans.

    ISBN 978-2-89633-336-3

    I. Titre. II. Collection : Collection Conquêtes ; 149.

PS8643.A698M66 2015   jC843'.6   C2014-942764-6
PS9643.A698M66 2015

Pour Guy, Louis-Philippe,
Vincent et Sébastien.

Avec tout mon amour...

Merci à Geneviève Mativat pour sa révision
éditoriale et ses conseils si bien inspirés

ainsi qu'à Diane Bergeron pour sa
correction linguistique;

Et merci aussi à Peter Boyadjieff pour son
illustration de couverture,

Je suis persuadée que Ludovic aimerait
beaucoup voir cette armure de près!

Chapitre 2

Inutile de chercher le chapitre un. Il n'y en a pas. Il n'y aura pas non plus de chapitre quatre, six, huit. Ni neuf, ni dix, ni douze. Ni aucun chapitre qui ne soit pas un nombre premier. J'écris ce livre en collaboration avec mon frère Michaël et c'est une des conditions à ma participation. J'aime les nombres premiers. Au début, Michaël ne voulait rien savoir de cette exigence.

— Ce n'est qu'un caprice, Ludovic! Et puis, c'est trop bizarre. Tu as déjà vu un auteur sérieux faire ça?

Je n'ai pas pu répondre à cette question, pour trois raisons. Premièrement, il existe des milliers d'auteurs sérieux et même davantage. Je ne les connais pas tous. Comment savoir si l'un d'eux a déjà procédé de la sorte? Deuxièmement, je ne vois pas de lien logique entre le sérieux d'un auteur et sa manière de numéroter des chapitres. Et troisièmement, je ne considère pas mon frère comme un auteur sérieux. Pas plus que moi. J'allais le dire à Michaël quand il a repris la parole. C'est impoli de poser une question à quelqu'un et de ne pas attendre sa réponse. Mais j'ai remarqué depuis longtemps que les gens ne sont pas toujours polis.

— Ça va donner des numéros de chapitre sans queue ni tête! a poursuivi mon frère.

— Les numéros ne sont pas des animaux, Michaël, lui ai-je répondu rapidement, les chapitres non plus. C'est normal qu'ils n'aient pas de queue ni de tête. C'est toi qui es bizarre.

Mon frère a grimacé, a roulé ses yeux vers le plafond et la discussion s'est arrêtée là. Il fait souvent ça, rouler ses yeux vers le plafond, avec ou sans grimace selon l'occasion. Madame Claudine, la psychologue de l'école que je rencontre toutes les semaines depuis ma première année du primaire, m'a expliqué que cette expression signifie que mon interlocuteur est ennuyé par mes propos. Je me demande comment elle peut affirmer une telle chose. Je ne vois pas du tout le rapport entre regarder en l'air et être ennuyé. Moi, quand quelqu'un m'ennuie, je lui tourne le dos et je m'en vais, ou alors j'ouvre un livre et je commence à lire. Je l'ai expliqué à madame Claudine. Elle a ri.

— En tout cas, Ludovic, c'est sûr que ça a le mérite d'être clair!

Je n'ai pas saisi ce qu'il y avait de comique là-dedans. Je n'ai pas ri.

Quinze jours ont passé. Puis, Michaël m'a dit que c'était correct, qu'on allait numéroter les chapitres comme je voulais.

— On lit un livre au cours d'anglais, m'a-t-il annoncé. Et son auteur fait exactement ce que tu proposes. Il n'utilise que des nombres premiers comme numéros de chapitres. Alors, je me dis que si c'est bon pour lui, c'est bon pour nous!

— S'agit-il d'un auteur sérieux?

Je n'oublie jamais une discussion et je voulais en savoir plus.

— Tout ce qu'il y a de plus sérieux.

— Comment le sais-tu?

— Qu'il est sérieux?

— Oui.

Michaël a froncé les sourcils et a frotté son menton. Dans le registre des expressions non verbales, cela exprime l'hésitation.

— J'imagine qu'il est sérieux puisqu'une maison d'édition a décidé de publier son ouvrage.

Ce raisonnement était valable.

— C'est quoi, ce livre? ai-je ensuite demandé.

Michaël a amorcé une levée des yeux vers le plafond, mais il ne l'a pas complétée. Il a pris une longue inspiration, puis il m'a répondu:

— *The curious incident of the dog in the night-time*, par Mark Haddon[1].

----

1. Publié aux éditions Anchor Canada, 2003.

— Drôle de titre... Ça veut dire quoi? l'ai-je interrogé, car je ne parle pas l'anglais.

— La version française s'intitule *Le bizarre incident du chien pendant la nuit*.

— Drôle de titre même en français. Et ça raconte quoi?

— L'histoire de Christopher, un garçon un peu spécial qui mène une enquête sur la mort d'un chien.

— C'est un documentaire?

— Non. Un roman.

— Je ne le lirai pas alors. Même en version française.

Je n'aime pas la fiction. Il y a tellement de choses vraies à apprendre, je ne comprends pas qu'on perde du temps à lire des mensonges. Justement, ce livre que j'écris avec mon frère n'est pas un roman. C'est une histoire vraie. La mienne.

Sauf que ce Mark Haddon, auteur sérieux, m'a un peu gâché le plaisir. J'aimais l'idée de numéroter les chapitres à ma manière et là, j'avais l'air d'un imitateur. Un *copycat*, diraient les agents du FBI. On me répète souvent de ne pas présumer que les autres savent de quoi je parle. Alors, juste au cas où vous ne seriez pas au courant, sachez que l'acronyme FBI désigne le Federal Bureau of Investigation ce qui veut dire Bureau fédéral d'enquête. Il s'agit du principal service fédéral de police judiciaire et de renseignement intérieur des

États-Unis d'Amérique. Quant au terme *copycat*, il désigne un criminel qui copie les crimes d'un autre. Numéroter les chapitres avec des nombres premiers n'est pas un crime. Sauf que si un autre écrivain l'a déjà fait et qu'on l'imite exprès, c'est copier.

En plus des nombres premiers, j'aime la suite de Fibonacci. C'est une série de nombres dont chacun représente la somme des deux précédents. Zéro, un, un, deux, trois. Sauf pour la répétition du un, qui pourrait passer pour une erreur de frappe, tout paraît simple au début. Mais ça se complique rapidement, parce qu'après le trois, vient le cinq (trois plus deux) et non le quatre. Et après le cinq, c'est le huit (cinq plus trois) et non le six. Reste que j'aime moins la suite de Fibonacci que les nombres premiers, même si utiliser cette dernière m'éviterait de me faire traiter de *copycat*. Et puis, j'ai déjà donné à ce premier chapitre le numéro deux, et je déteste les changements. Je veux qu'il reste le chapitre deux. Je m'en tiendrai donc à mon idée initiale : les numéros des chapitres seront des nombres premiers. De toute façon, mon frère affirme que personne ne va m'accuser de quoi que ce soit. Je l'espère bien. Je ne voudrais pas me retrouver en prison à compter les jours jusqu'à ma libération. Michaël dit que si ça arrive, il viendra me porter des oranges. Ça le fait rire. Il dit que c'est une blague. Moi je ne ris pas. J'aime les oranges, mais je ne comprends jamais les blagues.

Je m'appelle Ludovic. Mais ça, vous le savez déjà. C'est écrit à la première page. Pour le moment, j'ai dix ans. Mais le onze mars, j'aurai onze ans. Onze est un nombre premier. J'ai hâte d'avoir onze ans. J'aime les nombres premiers. Ils sont beaux. Intacts. Indépendants. On dirait des panneaux de signalisation tellement ils sont différents des autres. Parfois, je ferme les yeux et je les vois parader. Ils sont comme des officiers en habits rouges parmi des soldats aux uniformes gris. Ils sortent du lot. Ils ne sont pas très nombreux. Entre zéro et cent, il y en a vingt-cinq. Entre cent et mille, il y en a cent quarante-trois. Je pourrais en faire la liste jusqu'à mille. Ça n'occuperait même pas une page entière. Mais mon frère affirme que ça n'intéresserait pas grand monde. Et puisque je parle tant des nombres premiers, Michaël veut que je vous explique ce qu'ils sont. Il dit que beaucoup de gens n'en ont aucune idée. Et comme c'est aussi son livre, je suis obligé de suivre ses conseils :

— Ludovic, quand tu écris quelque chose, tu dois t'assurer que les autres vont te comprendre. Mets-toi à leur place! Ce n'est pas parce que tu connais bien les mathématiques que tout le monde est comme toi. Si tu veux discuter des nombres premiers, fais d'abord une petite introduction. Place le sujet dans son contexte.

Il n'est pas facile à suivre, Michaël. Premièrement, je ne discute pas, je suis en train d'écrire. Soyons précis. Deuxièmement, il veut une petite introduction. Petite comment? Quatre lignes? Dix lignes? Une page? Deux cents mots? Trente-quatre mots? Petite! Ça ne veut rien dire! Moi, j'aime l'exactitude. Troisièmement, qu'est-ce que ça veut dire *placer le sujet dans son contexte*? De quoi il parle? Il est où le contexte? Et une fois que je l'aurai trouvé, je fais comment pour y ranger le sujet? Ce sera indiqué comme sur un plan de montage? C'est vraiment n'importe quoi, les conseils de mon frère. Pour finir, et ça, c'est le pire, il me demande de me mettre à la place des autres. Or, malgré tous mes efforts, je n'y parviens jamais.

Je n'y arrive tellement pas, qu'à l'école, madame Claudine m'a obligé à participer neuf fois au même jeu avant que je donne la bonne réponse. En passant, ce n'est pas un jeu. C'est un test. La psychologue dit *jeu* pour me rassurer. Mais utiliser un autre mot ne change rien à la réalité. Ça reste un test. On l'appelle le *test de Sally et Anne*. Quatre-vingt-cinq pour cent des enfants de plus de quatre ans le réussissent. Même les enfants souffrant du syndrome de Down[2] y parviennent dans quatre-vingt-six pour cent des cas. Moi, j'ai dix ans, pas de syndrome de Down, et je n'y arrive pas vraiment. Bien sûr, après huit échecs, j'ai fini par donner la bonne réponse. Sauf que je ne la comprends pas. J'ai juste deviné ce que voulait la psychologue.

Je vais tout vous expliquer pour que vous sachiez de quoi il est question. Comme ça, Michaël sera content. Du moins, je calcule qu'il le sera. En réalité, je suis incapable d'entrer dans sa tête et de sentir ce qu'il sent. Je me demande bien comment font les autres...

Alors, le test : je suis dans un local avec la psychologue et une autre élève. On va l'appeler Sally-Anne pour faire le lien avec le nom du test. Mais elle pourrait s'appeler n'importe comment. Sabrina. Mélanie. Marie-Pierre. Audrey. Vanessa. Maude. Bon, j'arrête mon énumération. Son prénom ne compte pas. On est assis à une table, tous les trois. On pourrait être debout. Ça ne compte pas non plus. La psychologue a un œuf en chocolat et deux boîtes de carton, une rouge et une bleue. Devant Sally-Anne et moi, elle met

---

2. Syndrome de Down : aussi appelé trisomie 21, anomalie chromosomique congénitale provoquée par la présence d'un chromosome surnuméraire sur la vingt et unième paire. Le syndrome de Down cause un retard mental.

l'œuf en chocolat dans la boîte rouge et la referme. Après, elle envoie Sally-Anne dans le corridor. Dans le local, il ne reste que la psychologue et moi. Alors, elle change l'œuf en chocolat de boîte. Il est maintenant dans la boîte bleue. Les deux boîtes sont fermées. Impossible de voir dedans. C'est à ce moment que la psychologue m'invite à prédire ce que répondra Sally-Anne quand on la rappellera dans le local et qu'on lui demandera dans quelle boîte est le chocolat.

Huit fois j'ai répondu la boîte bleue.

Huit fois Sally-Anne est revenue et a répondu la boîte rouge.

Je n'en revenais pas que cette fille soit si stupide. Pourtant, elle a d'excellentes notes dans toutes les matières. Elle est sûrement intelligente. Ou alors experte tricheuse. Le fait est que je savais quelque chose qu'elle ne savait pas...

— Ludovic, m'a dit la psychologue juste avant la neuvième tentative, essaie de te mettre à la place de Sally-Anne. Elle n'était pas là quand j'ai changé l'œuf de boîte... Toi, tu sais que le bonbon est maintenant dans la boîte bleue, mais elle?

Mais elle? Je ne savais pas. Je ne sais toujours pas. J'ai juste fini par comprendre que je devais faire semblant de ne pas savoir que le chocolat avait été déplacé. C'est ainsi que j'ai enfin donné la bonne réponse. Je ne suis pas stupide et puis j'en avais assez de ce test idiot. Mais ça m'a fait mal à la tête de mentir parce que je n'ai jamais vraiment saisi pourquoi Sally-Anne continuait à penser que le bonbon était dans la boîte rouge. Alors, c'était un mensonge de répondre la boîte bleue. Malgré cela, madame Claudine ne s'est rendu compte de rien et elle a été ravie. Pour me récompenser, elle a voulu me donner l'œuf en chocolat. J'ai refusé. Le chocolat, c'est brun et je déteste cette couleur. Madame Claudine n'a pas insisté et l'a plutôt offert à Sally-Anne qui l'a pris.

Toute cette digression pour dire que mon frère me demande l'impossible, ou presque, en m'obligeant à me mettre à la place des autres.

— Digression ? Dis donc, tu en connais de jolis mots, toi, a fait Michaël en riant après avoir lu mes derniers mots par-dessus mon épaule.

Digression : développement oral ou écrit qui s'écarte du sujet. Je ne vois pas ce que ça a de joli.

— Et puis, Ludovic ! a poursuivi mon frère. Je ne te demande pas la lune quand même !

La Lune, maintenant ! Que fait-elle dans notre conversation ? Comme si quelqu'un pouvait donner un satellite naturel à quelqu'un d'autre... N'importe quoi !

Michaël a ri encore plus fort avant de déclarer :

— Donne juste la définition d'un nombre premier, Ludovic. Une ou deux phrases. Après, fais ce que tu veux.

Bon, ça, c'est clair!

Un nombre premier est un entier naturel qui admet exactement deux diviseurs distincts, entiers et positifs (soit un et lui-même). Un n'est pas un nombre premier, car il ne possède pas deux diviseurs entiers positifs, mais seulement un. Le plus grand nombre premier connu à ce jour est un nombre premier de Mersenne. Il a été découvert le vingt-cinq janvier deux mille treize. Il comporte dix-sept millions quatre cent vingt-cinq mille cent soixante-dix chiffres en écriture décimale. J'ai lu sur Wikipédia que si on les écrivait les uns à la suite des autres, ces chiffres occuperaient plus de quatre mille pages en police Times New Roman taille douze. On n'indiquait pas à quel interligne cependant. Même les encyclopédies en ligne ne communiquent pas toujours des informations parfaitement précises.

J'ai écrit plus de phrases que prévu.

Là, je ne sais pas pourquoi, mais je n'ai plus le goût de parler des nombres premiers. Ça doit être de repenser au test de Sally et Anne qui m'a mis de mauvaise humeur. Ou alors l'imprécision des encyclopédies. Si je pouvais mettre une émoticône, je choisirais celle avec le sourire à l'envers : ☹ ...

*

J'espère que Ludovic ne sera pas fâché longtemps. Il va falloir que je sois prudent dans ma façon de lui faire des suggestions. Il prend tout au pied de la lettre. Au début, je n'étais pas certain de vouloir qu'il mette son grain de sel dans mon livre. Mais j'ai vite changé d'idée en le lisant. Personne ne peut mieux expliquer Ludovic que lui-même.

À l'école, on a surnommé mon frère l'Asperge. Vous vous dites sûrement qu'il doit être grand et maigrichon. Ou encore qu'il ne porte que du vert. Ou les deux. Mais non... En vérité, tout a commencé le jour de son entrée en première année. Ludovic avait fait sa maternelle dans un établissement spécialisé, il était donc nouveau. Avec les meilleures intentions du monde, madame Julie, sa professeure, a voulu le présenter à toute la classe pour l'aider à s'intégrer.

— Cette année, je vais vous demander d'être tous très gentils avec votre nouvel ami. Un ami très spécial. Viens ici, Ludovic.

Je n'étais pas là quand c'est arrivé. En vérité, je me trouvais deux étages au-dessus, dans ma classe de cinquième année. Mais je connais bien mon frère. Moi, je peux me mettre dans sa tête et j'imagine facilement la scène.

Ludovic qui ne se lève pas. Ludovic qui contemple les aiguilles de l'horloge juste derrière la professeure ou le mouvement des pales d'un gros ventilateur sur pied. Car il faisait très chaud ce jour-là. Je m'en souviens.

Madame Julie qui répète :

— Ludovic ? Ludovic ! Je te parle, mon grand ! Viens avec moi.

Je la vois tendre un bras vers mon frère. Elle sourit.

Ludovic hésite. Il ne connaît pas madame Julie, même si mes parents et lui l'ont rencontrée avant la rentrée scolaire. Question de faciliter un peu les choses. Mais rien n'est facile avec mon frère.

Ce bras tendu ne lui dit rien de bon. Veut-elle le frapper ? Lui ébouriffer les cheveux ? Lui serrer l'épaule ? Le garder à bonne distance ? Ludovic n'est pas doué pour décoder les gestes des autres. Le langage non verbal est un véritable baragouin à ses yeux. C'est pour ça que le sourire de madame Julie ne lui fait ni chaud ni froid. Ou alors un peu froid, car elle ressemble à un animal qui montre ses dents dans un reportage animalier. Mais le pire est ce bras qui ne s'abaisse pas. Ludovic n'aime pas qu'on le touche. Et là, je me figure très bien madame Julie qui insiste :

— Allez, Ludovic ! Viens ici ! Je ne te mangerai pas, là.

Et de sourire de nouveau de toutes ses dents.

Mon frère a forcément paniqué. Il ne comprend pas les métaphores. Avec lui, par exemple, un vieux loup de mer, c'est juste un animal qui n'existe pas : les loups ne sont pas des mammifères marins, un point c'est tout. Que ce soit une manière poétique de désigner un vieux marin lui échappe complètement. Je l'ai déjà dit : il prend tout au pied de la lettre. Alors, quand madame Julie a affirmé ne pas vouloir le manger, là, à l'instant, il a cru qu'elle pourrait le faire plus tard. Assez troublant, merci !

Il s'est sans doute recroquevillé sur sa chaise, bien décidé à ne pas céder à cette ogresse. Comme je le connais, il a probablement levé ses mains devant ses yeux avant de les agiter comme des marionnettes. Les quelques élèves qui n'avaient pas déjà pouffé de rire l'ont sûrement fait à ce moment. Même moi, ça me saisit quand Ludovic s'y met. Il a l'air franchement bizarre. Un vrai de vrai cornichon.

Comme si ce n'était pas assez, les bruits trop forts lui écorchent les oreilles. Et vingt-quatre enfants qui rient à gorge déployée, c'est trop de décibels pour lui. Je parie que Ludovic a aussitôt planté ses poings contre ses oreilles. Si ça se trouve, il a même commencé à se balancer lentement d'avant en arrière. Tout pour avoir l'air d'un vrai débile mental. Tout pour se protéger d'une situation horrible pour lui.

Devant un Ludovic au bord de l'explosion et deux douzaines d'enfants tordus de rire, madame Julie a dû s'en vouloir d'avoir perdu le contrôle de sa classe et raté les présentations. Forcément, elle a dû frapper dans ses mains pour ramener un semblant d'ordre tout en déclarant :

— On se calme, les amis. On se calme !

Ludovic a probablement continué d'osciller sur sa chaise en se bouchant les oreilles. Quelques enfants ont dû le pointer du doigt et s'esclaffer de nouveau.

La classe devait être survoltée.

Le temps à la tempête.

Madame Julie a sans doute retapé dans ses mains ou donné quelques coups sur son bureau. Inévitablement, elle a fini par hausser le ton :

— J'ai dit : ça suffit !

Les petits se sont ressaisis. Ils se sont tus sur-le-champ, pas contents du tout d'avoir été grondés. Puis ils ont voulu trouver un coupable. C'est la faute à ce stupide garçon de la première rangée. À cet idiot qui se berce sur son siège en se prenant la tête, les yeux fermés... Ils se sont dit que ce taré serait mieux ailleurs, dans une classe de tarés comme celle des «p'tits cœurs».

Ludovic, jugé et condamné.

Qui sait, madame Julie a peut-être tenté de rattraper le coup.

— Allez, les amis, on reprend tout au début. Je voulais juste vous présenter un garçon très gentil et très spécial : Ludovic Gauthier. C'est un enfant très intelligent, mais il est différent. Un peu malhabile avec les autres. Vous apprendrez à le connaître.

« Qu'est-ce qu'il a ? » a évidemment demandé un curieux, décontenancé par le comportement de mon frère.

— Je crois que je l'ai un peu effrayé... s'est sûrement désolée madame Julie. C'est sa manière de montrer qu'il est énervé. Pas vrai, Ludovic ?

Mais mon frère était déjà à des kilomètres de cette salle de classe, perdu dans sa tête.

« Ça ne lui prend pas grand-chose. Ça va lui arriver souvent de s'énerver comme ça ? »

— Attention, les amis. On reste polis. Ludovic ne fera pas de crise si on se comporte calmement. Il est juste très sensible.

« C'est un gros bébé ! »

— J'ai dit : on reste polis ! Ludovic souffre du syndrome d'Asperger...

Devant vingt-quatre paires d'yeux arrondis comme des soucoupes, elle a dû expliquer :

— Il s'agit d'un trouble du développement qui touche à peu près un enfant sur mille. Ludovic est brillant. Vous verrez. Il sait déjà lire. C'est aussi un champion des mathématiques. Mais il a du mal à communiquer et à se faire des amis. Ce n'est pas sa faute. Alors, on est super gentils avec lui.

«Vous avez dit le saint drone de l'asperge? C'est trop bizarre!»

Des rires ont dû fuser de partout dans la classe. Le mal était fait.

Et voilà comment mon frère est devenu une asperge. Un légume même pas mangeable.

Chapitre 3

Je les comprends un peu, ces petits élèves qui en ont déjà plein leurs bottines à gérer l'angoisse d'une nouvelle année scolaire. Nul besoin de leur infliger la présence d'un imprévisible zigoto qui ne répond même pas à l'appel de son nom. Ludovic a beau être mon frère, des fois, je le trouve pas mal énervant. C'est peut-être pas une asperge, mais il s'approche parfois dangereusement du cornichon. Surtout avec ses manies qui lui donnent des airs de guignol : marcher sur la pointe des pieds, tourner en rond sur lui-même, transformer ses mains en marionnettes... Et quand il était tout petit, c'était encore pire !

Actuellement, il déraille surtout quand il est stressé. Le problème, c'est qu'un tas de choses le stressent : les foules, le bruit, le désordre, l'imprécision, les changements d'horaire et de routine. Il s'affole même face à certaines couleurs, textures, ou étoffes. Et je pourrais continuer, encore et encore. La liste de ce qui le perturbe est infinie.

Aller au centre commercial avec lui, c'est une épreuve olympique. Heureusement, mes parents sont des champions de la patience. Médaillés d'or ex æquo. L'argent va à ma sœur Pénélope qui n'a que cinq ans et se fiche pas mal de tout ça. Moi, j'arrive bon dernier. Je ne suis même pas convaincu de me qualifier pour la compétition... Je traîne les pieds. Je laisse les autres prendre de l'avance. J'ai un peu honte de l'avouer, mais bien souvent, Ludovic me gêne. Une fois, il a piqué une crise en arrivant au bas d'un escalier roulant. Au lieu d'avancer comme tout le monde, il s'est mis à reculer, terrifié par les marches qui disparaissaient dans le plancher. Je parie qu'il avait peur de subir le même sort. Ce n'était pourtant pas sa première expérience avec cette machine. Mais on aurait juré qu'il n'avait jamais vu une telle chose de toute sa vie. Il criait comme un perdu et frappait mon père qui voulait l'aider à descendre. Tous les témoins de la scène ont regardé Ludovic comme un mal élevé et papa comme un imbécile. Depuis, on emprunte toujours les escaliers ordinaires. Ce qui n'empêche pas mon cornichon de frère d'attirer l'attention de mille autres façons. Par exemple, en faisant ouvrir et refermer sans arrêt les portes coulissantes munies de détecteurs de mouvement.

Ça semble impossible, mais mon frère est à la fois fasciné et apeuré par elles. Si on ne l'arrêtait pas, il pourrait les actionner jusqu'à la fin des temps. Et probablement même au-delà. Par chance, peu de boutiques ont de telles portes… On arrive donc à les éviter.

Malgré toutes nos précautions, Ludovic est toujours à côté de la plaque et les gens que nous croisons sont vite agacés. C'est comme s'ils nous plaignaient et, en même temps, nous en voulaient de leur imposer un spectacle aussi étrange. D'autres paraissent simplement soulagés que ça ne soit pas tombé sur leur propre famille. Ils serrent les épaules de leurs enfants ou leur caressent la joue et nous gratifient d'un sourire compatissant. Un sourire que je voudrais effacer à coups de poing.

Alors, moi, des fois, je fais semblant de ne pas appartenir à la tribu des hurluberlus. Je joue à l'ado normal qui se trouve là par hasard. Il arrive même que je traite Ludovic de grande asperge. En silence, toutefois. Dans ma tête. Parfois en remuant un peu les lèvres. Oui, je sais, ce n'est pas bien. Mais il y a des moments où je n'en peux plus… Reste que je ne supporte pas que les autres se moquent de Ludovic. Parce que mon frère n'est pas une grande asperge.

Si on veut absolument comparer Ludovic à quelque chose, ce devrait être à un nombre premier. Un chiffre intact. Immuable. Un nombre qui se suffit à lui-même. Un chiffre qui n'a besoin d'aucun autre pour exister. Les nombres premiers sont les nombres les plus seuls de l'univers, si vous voulez mon avis. Et c'est probablement pour cette raison que Ludovic les aime tant. Il se reconnaît en eux. Dans leur solitude. Et il n'a que dix ans. Quand je pense à ça, mon cœur se referme comme un poing. Ludovic est différent, affirme madame Julie, mais elle ignore à quel point.

Mon frère est né quand j'avais quatre ans. J'ai de vagues souvenirs d'un bébé qui pleurait tout le temps. Jusqu'au jour où mon père a acheté une petite balançoire à piles. Il suffisait d'appuyer sur un bouton pour l'activer. Dans son siège, mon frère oscillait d'avant en arrière, de façon rythmique, pendant une quinzaine de minutes jusqu'à l'arrêt automatique. On savait toujours quand le mouvement s'interrompait parce que Ludovic recommençait immédiatement à hurler. Une pression sur le bouton et c'était reparti. Plus tard, quand il a eu six mois, Ludovic a été fasciné par un mobile qui tournait au-dessus de son lit. Il pouvait passer des heures à le fixer. Encore une fois, on devinait que le jouet avait besoin d'être remonté quand mon frère se mettait en colère.

«Il doit avoir des coliques», disaient certains.

«Mais non, il est trop gâté et voilà tout», affirmaient d'autres.

Ma mère gardait le silence. Plus tard, j'ai surpris une conversation entre elle et une de ses copines.

— J'ai su dès le début que quelque chose clochait vraiment avec mon beau Ludovic... J'aurais tellement aimé qu'il ait juste des coliques ou même qu'il soit gâté pourri... Mais dès les premières semaines, j'ai su que mon bébé était différent. Et pas dans le bon sens...

— C'est impossible! a protesté l'amie. Il était bien trop petit pour que ça se voie.

— Tu n'as pas encore eu de bébé, Justine, ça paraît, a répondu ma mère en plaçant gentiment une main sur le bras de son amie. Tu sais, dès qu'une maman tient son poupon dans ses bras, elle est branchée sur lui. On sent une communication. Par les yeux, par les sons, par le toucher. Avec Ludovic, il n'y avait rien. Au début, j'ai pensé qu'il était sourd. Il ne réagissait pas quand je disais son nom. Sauf qu'à d'autres moments, il se mettait à hurler au son d'une trompette de fête... Il entendait très bien... Mais il était dans un autre monde que le mien. Pas de contact visuel. Pas de contact tout court. Un mur de verre entre nous. Il devenait tout raide quand je le prenais dans mes bras. Il avait l'air de détester ça et c'était dur de ne pas lui en vouloir pour ça… Je me sentais tellement inadéquate… L'enfer…

L'amie a esquissé une moue compatissante.

— Mais le pire est d'imaginer ce que la vie sera pour mon énergumène de fils… a doucement ajouté ma mère.

Au début, j'étais très content d'avoir un frère. Quand mes parents m'ont annoncé la nouvelle, Ludovic était encore bien au chaud dans le ventre de notre maman. Les mois précédant sa naissance m'ont paru durer une éternité. J'avais tellement hâte de jouer avec lui! J'ai mis quelques jouets de côté, en prévision du grand jour. Un gros camion à benne en plastique jaune auquel il ne manquait qu'une roue, une pelle verte et un seau bleu, délavés par le soleil, pour le carré de sable. Un toutou au nez rouge qui brillait dans le noir et qui faisait de la musique quand on pesait sur son ventre. Sa fourrure était un peu pelée à force d'avoir été manipulée, et il était man-chot, mais je me disais que mon petit frère ne s'en apercevrait pas. Cerise sur le sundae, je lui avais aussi réservé un tricycle noir avec des flammes orangées peintes sur les côtés et des poignées décorées de rubans jaunes. Je n'en avais plus besoin puisque je filais désormais sur une bicyclette équipée de deux petites roues supplémentaires qui assuraient ma stabilité. Il n'y a pas à dire, à quatre ans, j'avais la générosité prudente.

Et puis, Ludovic est né. Grosse déception. Après une semaine, j'ai déclaré à ma mère qu'elle devrait le rapporter à l'hôpital. Qu'on pourrait dire à mon père qu'il s'était envolé. Elle a juste éclaté de rire avant de me répondre qu'un bébé n'était pas un objet qu'on pouvait retourner à l'expéditeur. Ludovic était là pour rester. Ma déconvenue aussi. Quoi qu'il en soit, ce poupon ne savait quand même rien faire d'autre que boire, remplir sa couche, dormir et pleurer. Impossible de faire des châteaux de sable avec lui ou de partir à l'aventure à deux sur nos petits vélos… Ma mère a essayé de me consoler en m'expliquant que tous les bébés étaient comme ça au début, mais que Ludovic allait grandir et qu'on pourrait alors vraiment s'amuser tous les deux.

Elle avait tort.

Même quand il a été capable de marcher et de saisir un jouet, Ludovic a continué de m'ignorer. On aurait dit que j'étais un fantôme ou un meuble pour lui. Rien d'intéressant.

Par contre, et c'était plutôt insultant pour moi, il pouvait passer des heures allongé sur le tapis à observer la course d'un train électrique sur ses rails. Ou alors il alignait sa collection de petites voitures, se fâchant quand j'essayais de me joindre à lui. À d'autres moments, il

33

s'installait devant le lave-linge et, par le petit hublot, il admirait les vêtements tourbillonnant dans l'eau savonneuse comme si c'était magique.

Malgré tout, on a fini par faire quelques balades de vélo ensemble. Enfin... ensemble est un grand mot. Disons que ma mère refusant qu'il circule seul, je devais suivre Ludovic quand il partait sur son petit tricycle dont il avait arraché les rubans jaunes des poignées et auquel il avait attaché un cerf-volant qui flottait au vent quand il pédalait assez vite. Encore une fois, mon frère m'ignorait complètement. J'aurais pu n'être qu'un courant d'air soulevant son cerf-volant.

Il lui arrivait tout de même d'apprécier ma compagnie. Pas souvent, mais tout de même... Par exemple, il adorait que je le pousse dans la balançoire de notre module de jeux. Il aurait pu y passer des heures. Mais je finissais par avoir les bras morts et par me lasser...

Pour être franc, je ne me suis pas juste lassé de le pousser. Je me suis lassé tout court. De Ludovic et de mon rêve d'un petit frère. Je me suis fait des amis à l'école. J'allais souvent chez les autres, mais je n'aimais pas qu'ils viennent chez moi. Ludovic était trop bizarre. Il piquait des colères pour des riens ou nous ignorait superbement. Il m'embarrassait.

D'ailleurs, je me souviens encore de la fête que ma mère avait organisée pour mon neuvième anniversaire, alors que Ludovic avait cinq ans et que Pénélope venait de naître. J'avais eu le droit d'inviter huit copains. Avec moi, ça faisait neuf petits diables. Neuf ans, neuf enfants. C'était «concept»! Mes parents avaient interdit tout ce qui était bruyant et aurait pu énerver Ludovic. Reste qu'il y avait des ballons gonflés à bloc et attachés en grappes dans la cour. Après avoir joué sagement à l'âne pendant une dizaine de minutes, puis ouvert les cadeaux et dévoré le gâteau, mes invités et moi avons cherché quelque chose d'autre à faire. Est arrivé ce qui devait arriver et nous avons commencé à faire exploser les ballons avec des bâtons pointus. C'était à qui abattrait le plus de cibles. Nous hurlions comme des singes drogués aux amphétamines. On n'aurait pas entendu un jet décoller! C'était super délirant!

Évidemment, mon petit frère a complètement perdu les pédales. Il essayait de se boucher les oreilles, courait sur place, puis s'est mis à frapper mes amis qui tentaient de l'approcher. Il y a eu des pleurs et des cris. Ensuite, Ludovic a filé se cacher dans la maison, comme une bête traquée. On a fouillé partout pendant que mes copains faisaient la queue devant le téléphone pour demander à leurs parents de venir les chercher. Puis maman a finalement trouvé Ludovic au fond de son placard, sous des tas de vêtements qu'il avait empilés au-dessus de sa tête pour se protéger du bruit. À force de cajoleries, et surtout de patience, ma mère a réussi à le faire sortir de sa cachette. Après ça, la fête a été finie. J'en ai longtemps voulu à Ludovic.

— Il ne l'a pas fait exprès, a insisté mon père. Tu le sais bien, Michaël...

Mais les cajoleries ne prenaient pas avec moi.

— Pourquoi est-ce qu'il n'est pas comme les autres? C'est tellement compliqué avec lui... Un vrai bébé lala...

— Je sais, mon grand. Je sais...

— Mais c'est quoi son mautadine de problème?

C'est ce jour-là que mon père m'a appris que Ludovic souffrait du syndrome d'Asperger. En fait, mes parents venaient tout juste de recevoir les résultats de la longue évaluation psychologique et médicale à laquelle mon petit frère avait dû se soumettre. Mon père m'a tout expliqué, du mieux qu'il le pouvait...

J'ai d'abord eu peur que ce soit contagieux, mais une fois rassuré à ce sujet, j'ai écouté attentivement le reste des explications de papa. À la fin, j'avais à peu près compris: mon frère aurait beau grandir, il serait toujours différent, comme une sorte d'extraterrestre. Nous pouvions tenter de pénétrer son monde, mais lui ne bougerait pas de son satellite personnel. Mon père ne me demandait pas directement d'être l'interprète et le guide de ce Martien, mais c'était un peu sous-entendu. *Mautadine de beau cadeau d'anniversaire*, ai-je songé à l'époque. J'ai honte de cette pensée aujourd'hui...

※

Mon frère Michaël a quatorze ans. Il commence sa troisième secondaire. Cette année, il doit écrire un texte long. Quand je lui ai posé la question, il n'a pas pu me préciser le nombre de mots exigés. Il m'a juste répondu que les professeurs avaient dit au moins huit mille mots. Mon frère a rapporté ce chiffre comme si de rien n'était. Moi, une telle imprécision, ça m'angoisse. Ça veut dire quoi « au moins huit mille » ? Huit mille un ? Dix mille ? Un million ? Trop de possibilités pour moi ! Mon frère m'a expliqué que ce texte servira à évaluer ses compétences en français et en éthique. Il aurait pu choisir de faire quatre examens à la place, deux à la fin du trimestre d'automne et deux à la fin du printemps et des tas de devoirs chaque semaine. Mais les examens, c'est imprévisible. Alors, il a préféré la composition. Il est rare que je le comprenne. Mais là, je suis d'accord avec lui. Moi aussi, je déteste les imprévus.

Il nous a parlé de ça un jeudi soir, il y a trois semaines. À l'heure du souper. On mangeait des spaghettis sauce bolognaise. Ce qu'il y a de bien avec les spaghettis sauce bolognaise, c'est que le tout prend une belle couleur orangée quand on le mélange assez longtemps. Il suffit de bien broyer les nouilles et la sauce. Avant, maman le faisait pour moi avec le robot culinaire. Maintenant, elle affirme que je suis assez grand pour me débrouiller. Le résultat n'est pas aussi homogène qu'avec le robot, sauf que je n'aime pas le bruit de cet appareil. C'est pourquoi je choisis d'écraser mon repas à la fourchette. Comme je m'applique bien, ça finit par être orangé. Mais des fois, j'ai besoin d'ajouter du colorant alimentaire pour obtenir la bonne teinte. L'orangé fait partie de mes trois couleurs préférées, avec le blanc et le vert. Voilà pourquoi j'aime le soir des spaghettis à la bolognaise. L'émoticône correspondant à ce repas serait donc celle-ci : ☺.

Alors qu'on était tous rassemblés autour de la table de cuisine, Michaël nous a donné les détails de son projet :

— Vous vous rendez compte ? s'est-il exclamé. Un texte de deux ou trois cents mots par semaine ! C'est pas la mer à boire ! Et puis, je ferai d'une pierre deux coups !

J'ai d'abord essayé d'imaginer ce que ça ferait de boire toute l'eau de la mer. J'ai eu mal au cœur. Je reste convaincu que ce n'est pas faisable. Après, j'ai tenté de deviner le lien entre une pierre, deux coups de cette pierre et un travail de français. Puis celui entre une pierre, deux coups de cette pierre et un travail d'éthique. Comme je n'y arrivais pas, j'ai tenté de mathématiser la chose. Ça donnait 1 pierre = 2 coups x travail (éthique + français). Ce n'était pas plus clair. La mer à boire manquait peut-être à l'équation.

Pendant tout ce temps passé à réfléchir, j'ai arrêté d'écouter la conversation. Je n'arrive pas à faire deux choses à la fois. Même battre des mains et chanter en même temps, je ne peux pas. Alors, trouver une formule pour solutionner un travail d'éthique, de français et de géologie, avec ou sans mer à boire, ça me prenait toute ma concentration. C'est pourquoi je n'ai pas su quoi dire quand Michaël s'est tourné vers moi pour me demander si j'étais d'accord... D'accord pour quoi?

— Pour que j'écrive une histoire sur toi.

— Quelle histoire?

— Eh bien, la tienne... Ton histoire à toi.

Je trouvais l'idée surprenante. Pour quelle raison mon frère voulait-il faire ça? Quel rapport entre moi, le français, l'éthique et toute cette affaire de cailloux dans l'eau de mer?

Michaël a dû lire quelque chose sur mon visage. Contrairement à moi, il est doué pour deviner les sentiments des gens. Les froncements de sourcils, les coins de la bouche qui montent ou qui descendent, les yeux qui s'arrondissent ou qui se plissent, rien ne lui échappe. Moi, j'aurais besoin d'un dictionnaire expliquant tout cela. Je ne comprends bien que les émoticônes les plus simples. Et je ne rencontre que très rarement des gens dont les expressions sont aussi claires que celles des *smileys*. Par ailleurs, je n'ai jamais vu d'homme ou de femme à tête ronde et à peau jaune citron. Je ne suis pas certain que j'aimerais ça. Le jaune ne fait pas partie de mes trois couleurs préférées. Reste que mon frère a saisi mon incompréhension, parce qu'il a tout de suite précisé:

— C'est que tu es tout un personnage, tu sais, Ludovic!

— Je ne suis pas un personnage. Les personnages sont dans les romans. Ils sont inventés. Des mensonges. Moi, je suis vrai.

— Pour être vrai, tu es vrai. Alors, tu es d'accord?

— Je n'aime pas les romans.

— Ce ne sera pas un roman. Plutôt un documentaire.

Cette idée me plaisait. Je l'ai déjà dit: j'adore les documentaires.

— D'accord. Mais puisqu'il s'agit de ma biographie, je veux en écrire des bouts, moi aussi.

— Mais ce n'est pas un travail d'équipe, Ludovic! Si tu écris des parties, comment les professeurs pourront-ils évaluer mon travail?

40

J'ignorais la réponse à cette question. J'ai donc gardé le silence.

Notre mère est intervenue.

— Tu rédigeras ce travail à l'ordinateur, Michaël?

— Oui...

— On pourrait choisir une police pour toi et une autre pour Ludovic. Tu en avertiras tes professeurs et ils ne noteront que tes passages.

Mon frère a réfléchi sept secondes. J'ai compté. Puis, il a dit que c'était correct.

— Mais je lirai tout de même ce que tu écriras, Ludovic. Tu devras suivre mes consignes. Pas question que tu racontes n'importe quoi.

— Je n'écris jamais n'importe quoi.

Là, j'étais un peu énervé. Comme ça : .

Michaël a levé les mains en l'air comme les méchants qui se rendent au shérif et qui ne veulent pas se faire tirer dessus.

— Je sais. Je m'excuse. Je n'aurais pas dû dire ça. Tu n'écris jamais n'importe quoi. Tu choisiras les sujets que tu veux. Mais je te donnerai des conseils de temps en temps. D'accord?

— D'accord.

— Et tu ne liras pas ce que j'ai écrit, sauf si je t'en donne la permission. Ça me gênerait, tu comprends?

— Non.

— Non, tu n'es pas d'accord? Non, tu ne liras pas?

— Non, je ne comprends pas. Pourquoi être gêné?

— Si tu me lis, je ne me sentirai pas libre de m'exprimer sans me censurer.

— C'est quoi se censurer?

Michaël a de nouveau roulé ses yeux vers le plafond. Madame Claudine m'aurait sûrement affirmé qu'il était très ennuyé et que j'avais intérêt à être attentif.

— Bon, écoute, Ludovic. Je te demande seulement de ne pas chercher à lire tout ce que j'écris. Sinon, je ferai trop attention à ma façon de présenter les choses. Et ça me compliquera la vie. C'est déjà toute une affaire de rédiger un texte d'au moins huit mille mots sans en plus devoir me surveiller constamment. Tu saisis, maintenant?

Pour être honnête, pas du tout. D'habitude, je suis toujours cent pour cent honnête. Mais là, je n'avais pas envie d'une autre séance de roulage d'yeux vers le plafond. Alors, j'ai été malhonnête:

— D'accord, j'ai compris. De toute façon, c'est mon histoire que tu vas raconter. Et mon histoire, je la connais. Ça ne m'intéresse pas vraiment de la lire. Même en documentaire.

Michaël a soupiré. Selon madame Claudine, les soupirs traduisent généralement un grand ennui. J'étais embêté. Même en ayant été malhonnête, je lui avais déplu. C'est alors qu'il a souri. Puis je me suis souvenu qu'il existe des soupirs de soulagement. Ce devait être ça. Je me suis donc forcé à sourire. «Forcé», parce que ça ne me vient pas naturellement. Mais je voulais que mon frère constate que j'étais content.

Pour conclure, Michaël a voulu faire «tope là». Comme il sait que je n'aime pas qu'on me touche, on a freiné notre geste alors que nos paumes se trouvaient à trois centimètres l'une de l'autre.

Voilà donc comment j'ai commencé à écrire un livre avec mon frère. Pas un roman. Une histoire vraie. Une sorte de documentaire. Et dans les documentaires, on donne des informations. Donc, j'ai bien le droit de parler des nombres premiers.

Le onze mars, j'aurai onze ans. Deux nombres premiers. Le lendemain de mon anniversaire, j'aurai quatre mille dix-neuf jours. Encore un nombre premier. Si les années bissextiles n'existaient pas, ça donnerait quatre mille seize jours et ça, ce n'est pas un nombre premier. Mais quatre mille dix-neuf l'est. Le jour de mon anniversaire et le lendemain devraient être deux bonnes journées. Dans quatre ans, ce sera bien aussi. J'aurai quinze ans. Quinze n'est pas un nombre premier, mais comme j'aurai cinq mille quatre cent soixante-dix-neuf jours, toujours en tenant compte des années bissextiles, ce sera tout de même une journée nombre premier. Mon prénom aussi est un nombre premier. Pour savoir si un prénom est un nombre premier, il faut donner une valeur à chaque lettre de l'alphabet: un pour a, deux pour b et ainsi de suite jusqu'à vingt-six pour z. On traduit ensuite chaque lettre du prénom en chiffres qu'on additionne. Pour Ludovic, on obtient quatre-vingt-neuf. Même si mes parents avaient décidé de m'appeler Ludovik avec un k, ça serait malgré tout un nombre premier (quatre-vingt-dix-sept). Mon frère n'a pas cette chance. Qu'on écrive son nom Mikaël, Michaël ou Mickaël, le résultat n'est jamais un nombre premier. C'est peut-être à cause du tréma. Même problème pour Pénélope, peut-être à cause des accents. C'est un mystère. Mais je ne leur en parle pas. J'ai appris que, parfois, les gens ont de la peine s'ils se sentent à part des autres. Et je ne voudrais pas que Pénélope ou Michaël aient de la peine à cause de moi.

※

Chapitre 5

Vers quatre ans, Ludovic savait déjà lire. Personne ne se souvient de le lui avoir appris. À cette époque, il passait des heures penché sur le manuel d'instruction de notre aspirateur, un appareil qui le fascinait. Nous pensons qu'il a fait lui-même le lien entre les lettres et les dessins. Ensuite, il a dévoré tous les autres manuels d'instruction de nos électroménagers, que ma mère garde dans un tiroir de la cuisine. Au bout de quelques mois, il lisait n'importe quoi. En plus, dès qu'il a commencé à parler, il l'a fait parfaitement et avec un petit accent parisien venu d'on ne sait où... Depuis son plus jeune âge, Ludovic possède un vocabulaire étonnant. Un vrai professeur... Tout naturellement, il utilise des mots sophistiqués que même mes parents doivent parfois chercher dans le dictionnaire. Comme «ranidés», soit une famille de batraciens incluant les grenouilles et les rainettes; un sujet qui avait retenu son attention pendant quelques semaines. Ou encore «céruléen», c'est-à-dire la couleur bleu ciel; une teinte qui avait sa faveur, mais moins que le vert, le blanc ou l'orangé. Je me souviens également du terme «asclépiade» qui désigne une plante à fleurs odorantes dont se nourrissent les chenilles des monarques, un papillon que mon frère avait étudié dans le détail. Il parlait même du «peyotl», une plante mexicaine dont on extrait la mescaline. J'avoue que j'ignore encore pour quelle obscure raison mon frère avait incorporé ce mot à son répertoire. D'ailleurs, personne ne l'a jamais su. C'était peut-être à cause de ses recherches sur les monarques puisque, chaque automne, ces surprenants papillons migrent vers les montagnes mexicaines… Quoi qu'il en soit, j'ai enregistré le mot «peyotl», car il est assez payant au Scrabble, surtout placé sur un mot compte triple.

Mais revenons à Ludovic. Mon frère est un être extrême. Il aime passionnément certaines choses et en déteste éperdument d'autres. Il aime : les mathématiques, la suite de Fibonacci et les nombres premiers. Oui, oui, je sais que vous savez qu'il les aime. Mais si Ludovic me lisait, il voudrait certainement que je les mette sur la liste. Il a beau être brillant, il ne tolère pas les imprécisions. Tout doit être explicite avec lui. Jamais de supposition. L'implicite, le sous-entendu, ce n'est pas sa tasse de thé.

Les figures de style non plus. D'ailleurs, avec ma tasse de thé, je serais bon pour toute une explication en sa présence...

Je disais donc qu'il aime : les mathématiques, la suite de Fibonacci, les nombres premiers, les spirales logarithmiques, etc. Le point commun de toutes ces choses est leur prévisibilité, leur nature quantifiable, calculable, classable... Tout ça est très rassurant pour mon frère qui perçoit l'univers comme un grand désordre. Par ailleurs, il affectionne aussi les objets qui tournent, les trains, les grenouilles, les papillons et certaines couleurs. Je me doute qu'il vous en a déjà parlé...

D'un autre côté, Ludovic déteste : les approximations, ce qui est pointu, les étiquettes qui lui grattent le cou et que maman doit découdre faute de quoi il les arrache en laissant un trou sur le col de ses vêtements... Il n'aime pas la couleur brune. Ni le jaune. Il déteste l'imprévu, le tapage et les foules.

On pourrait croire que Ludovic vit dans sa bulle, mais ce n'est pas vraiment ça. Il est plutôt comme un enfant perdu dans un labyrinthe de ronces. Un peu comme le prince dans la *Belle au Bois dormant*. Sauf que mon frère n'a ni armure ni cheval pour se défendre et se protéger. Il est tout nu au milieu de l'enfer et les plus petites choses le blessent. Certains tissus, par exemple, semblent le piquer comme s'ils étaient farcis d'aiguilles. Même chose pour le pain grillé dont l'aspect croustillant lui déplaît au point de refuser catégoriquement d'en manger. Il paraît même dérangé par le bruit qu'un voisin de table produit en croquant des toasts... Il n'aime pas les gelées, non plus. Ça lui donne des haut-le-cœur. Il existe aussi des sons qui le font paniquer. La corne de brume d'un navire avançant sur le fleuve, les cris des écoliers à la récréation. On dirait qu'il n'a pas de filtre et que tous les bruits de la vie lui parviennent aux oreilles en une véritable cacophonie de centaines de décibels. Ceci, sans compter qu'il n'a aucune «intuition sociale», comme disent les psychologues. Ça veut dire qu'un sourire engageant peut lui paraître menaçant au point qu'il ait peur qu'on le morde. Ça veut dire aussi qu'un long soupir et un regard fixant une horloge, pendant qu'il parle sans interruption de sa passion du moment, ne l'amèneront pas à se rendre compte qu'il ennuie tout le monde. Madame Claudine a beau lui apprendre la signification des émoticônes comme on lui apprendrait une langue étrangère, Ludovic est loin d'être bilingue !

Je pense que mon frère voudrait avoir des amis. Le hic est qu'il ne sait pas comment s'y prendre. Si le monde était un orchestre symphonique, alors mon frère serait celui tentant de jouer de la râpe à fromage...

Ça se voyait dès la première récréation.

Et ça ne s'est jamais vraiment amélioré.

Par contre, mon frère s'est adapté tant bien que mal à la vie en classe. J'imagine que la routine à l'intérieur de l'école a fini par le rassurer. La prévisibilité de l'horaire répondait sans doute à son besoin de structure. Je le sais parce qu'à l'époque, je me portais systématiquement volontaire pour tout message à livrer de ma classe au secrétariat. En chemin, je m'offrais un petit détour par l'étage des élèves de première année. Il faut croire que, moi aussi, j'avais besoin d'être rassuré…

Toujours est-il qu'avec mille précautions, pour ne pas me faire remarquer par les surveillants, je ralentissais à la hauteur de la classe de madame Julie et je jetais un coup d'œil à l'intérieur. Elle avait installé Ludovic à un pupitre situé à l'avant ; du coup, même du corridor j'avais une vue imprenable sur mon frère. En général, il était plutôt tranquille. Des fois, il était dans la lune, les yeux dans le vague, ou alors il s'amusait à aligner ses crayons à la file indienne. Je l'ai déjà surpris à lire quelque chose qui ressemblait à un feuillet d'instruction, peut-être celui de sa nouvelle calculatrice scientifique, pendant que la maîtresse inscrivait quelques lettres de l'alphabet au tableau. J'imagine qu'il s'occupait aussi à autre chose quand elle enseignait le calcul de base… Pour un matheux comme lui, les additions et les soustractions, c'est carrément insignifiant. Reste que, dans l'ensemble, il ne détonnait pas trop.

Durant les quelques jours suivant la rentrée, Ludovic a eu un peu de difficulté à s'y retrouver dans un calendrier sur dix jours au lieu de sept comme une semaine normale. Mais, en bon champion des suites et des séries, mon frère n'a pas été long à découvrir l'astuce. Comptez sur lui pour remarquer des coïncidences qui échappent à tout le monde. Je me souviens entre autres d'une fois où il a piqué une colère monstre sous prétexte qu'on ne mangeait pas de salade de crevettes à un repas auquel ma mère avait invité son amie Justine. Le hasard avait en effet voulu qu'on ait mangé cette entrée deux fois de suite en compagnie de l'amie en question. Personne d'autre que Ludovic ne s'en rappelait, même pas Justine. Mais pour mon petit frère, aux yeux duquel le monde est semblable à une tempête en haute mer, toute répétition devient un phare guidant son navire entre les vagues qui déferlent dans tous les sens. Il a vraiment besoin de cette lumière et ne peut pas se résigner à ce qu'il s'agisse tout bonnement d'une coïncidence... Cela détruirait une règle aux mille vertus réconfortantes... Ce serait comme lâcher une bouée et risquer la noyade... Justine vient souper à la maison, on mange des crevettes. Info emmagasinée.

Justine revient manger avec nous, on sert encore des crevettes. La règle est née : quand Justine est là, on lui offre des crevettes ! Ne pas le faire équivaut à bafouer une loi très importante pour Ludovic. D'où sa crise lors du troisième souper, sans crevettes cette fois.

La tête de mon frère est bourrée de lois de ce genre. Il ne saisit pas que ce code compliqué n'existe que dans son esprit... Je sais bien que c'est dur à comprendre pour qui n'est pas Asperger. Mais bon... C'est un peu comme si vous sortiez du lit, un matin, pour débouler au plafond et découvrir que tout a été inversé pendant votre sommeil. On marche désormais entre les lustres, pendant que le mobilier est tout là-haut. Et tout le monde pense que c'est absolument normal et que vous êtes un débile de vous y perdre...

Pour Ludovic, l'existence est un collier de perles dont la corde s'est rompue. Des perles de différentes tailles sont répandues par terre et il ne sait pas par où commencer pour tout remettre en ordre. Malgré tout, il essaie, encore et encore, de reconstituer le bijou. Il imagine alors un drôle de plan qui ne correspond à rien, avec des règles connues de lui seul. Et quand il se rend compte que ça ne marche pas, qu'une perle n'est pas à la bonne place, sa déception est immense, car à ses yeux, le rang entier est débalancé...

Mais voilà que je dérive de mon sujet initial qui était, je le rappelle, les récréations et les journées numérotées. J'y reviens sur-le-champ. Après la deuxième série de dix journées d'école, mon frère avait tout pigé. Il savait dorénavant à quoi s'attendre de chaque jour de classe, du moins en gros. Il n'était peut-être pas comme un poisson dans l'eau, mais presque. Toutefois, pour les récréations, alors là, rien à faire. Il était confronté à l'impossibilité crasse de prévoir quoi que ce soit, sauf le moment où sonnerait la cloche.

Je l'ai déjà observé de loin, dans le corridor où les petits de première année accrochent leurs vêtements d'extérieur. Les autres élèves s'habillent à toute vitesse pour sortir. On jurerait que le plancher leur brûle la plante des pieds ou qu'ils vont mourir dans d'atroces souffrances s'ils s'attardent un quart de seconde de trop à l'intérieur. Ils s'élancent dans la cour, le manteau à peine attaché, la casquette enfoncée de travers, et lâchent enfin leur fou comme s'ils avaient passé les dernières heures ligotés à leur chaise. Ludovic, lui, prend tout son temps. Il lisse son blouson du revers de la main, savourant apparemment la douceur du tissu. Puis il tente gauchement de l'enfiler et s'y reprend plusieurs fois avant de réussir à glisser ses bras dans les bonnes manches. Quelque chose semble alors l'agacer. Il tapote un bourrelet sur un de ses bras, puis retire son manteau. Je constate que l'un des poignets de son chandail est remonté au-dessus de son coude. Il tire dessus, le ramène sur ses mains, remet le blouson et grimace de nouveau. J'ai juste envie d'intervenir et de lui rappeler de retenir les manches de son chandail avec ses doigts avant de renfiler le blouson. Cependant, je n'en fais rien. Ludovic est très indépendant. Il déteste qu'on se mêle de ses affaires. Parfois, une éducatrice passant par là décide d'aider mon frère et remonte sa fermeture éclair. Comme il n'aime pas être touché, Ludovic se raidit. Il s'empare vite de sa casquette pour indiquer à la jeune femme qu'il n'a plus besoin d'elle.

Quand la dame s'éloigne, il fourre la casquette dans sa poche. C'est notre mère qui insiste pour qu'il l'emporte à l'école. Je ne le vois jamais la porter. Une fois, je lui ai demandé pourquoi. Il m'a expliqué qu'elle lui comprimait la tête et qu'elle étouffait ses cheveux. Pourtant je l'ai déjà essayée, cette casquette, et elle n'est pas serrée du tout. Et ma tête n'est pas plus petite que celle de Ludovic, je vous assure ! Ça doit être comme pour les étiquettes des vêtements qui le grattent alors que la plupart des gens ne les sentent même pas. Je l'ai déjà dit : les plus petites choses agressent Ludovic.

Une fois dans la cour, il se tient à l'écart. Debout, il oscille légèrement d'avant en arrière, les bras ballants sur les côtés. Il bouge silencieusement les lèvres comme s'il murmurait une prière. Je parierais qu'il compte ou qu'il récite une liste. Nombres premiers, suite de Fibonacci, capitales des pays d'Afrique dont il aime les noms exotiques. Le pauvre n'a même pas le réflexe de s'écarter quand un ballon lui fonce dessus. Ni celui de le ramasser et de le retourner aux joueurs. Une fois, un grand de sixième année l'a traité d'«ortho» en le bousculant pour récupérer un ballon. Ludovic n'a pas bronché, absorbé par ses énumérations. Caché en lui-même.

À peu près un mois après cette rentrée scolaire, je l'ai vu pour la première fois se risquer à traverser la cour. En chemin, il a évité les autres enfants. Encore une fois, il m'a fait penser à un bateau sur une mer agitée. Puis, enfin, il a atteint le petit carrousel que des écoliers poussaient à tour de rôle avant d'y sauter pour tournoyer quelques minutes. Ludovic, lui, restait là, immobile, trop maladroit pour grimper sur le manège en marche même lorsque la vitesse diminuait. Une éducatrice, que je soupçonne d'être affectée spécialement à la surveillance de Ludovic et de quelques autres hurluberlus du même genre, a alors arrêté l'engin, déclenchant une tempête de protestations de la part des passagers. Puis elle a invité Ludovic à monter sur le carrousel.

— Accrochez-vous bien! s'est-elle exclamée avant de saisir l'un des rayons métalliques et de commencer à courir en poussant de toutes ses forces.

Le manège a pris de la vitesse. Les enfants ont éclaté de rire. Un bref sourire a éclairé le visage de mon petit frère.

À partir de ce moment, ce jeu est devenu le préféré de Ludovic. Il ne s'en lassait pas. Hélas, un jour, un élève s'y est blessé. Rien de grave ; quelques éraflures aux genoux et aux coudes, ainsi qu'un orgueil cabossé. Mais le comité de parents s'est énervé et, le lundi suivant, le carrousel était encerclé d'un ruban jaune, comme on en voit à la télé sur les scènes de crime. Le vendredi, il avait disparu. Ludovic avait perdu son passe-temps. Une autre perle arrachée à son collier tout défait…

Évidemment, il s'est mis à errer telle une âme en peine. Puis, il a repris sa place en bordure du terrain de récréation et s'est remis à se balancer en marmottant.

Je pense que c'est durant sa deuxième année à l'école que Ludovic s'est rendu compte que les autres enfants étaient liés entre eux. On avait souvent nos récrés en même temps et je le voyais qui les observait, la tête penchée sur l'épaule, pendant qu'ils bavardaient, grimpaient sur les modules de jeu, ou accomplissaient ces petits riens que font les écoliers quand on leur laisse le champ libre. Bien entendu, des tonnes de cartons d'invitation illustrés de ballons multicolores et de gâteaux décorés de bougies lui sont passés sous le nez. Forcément, il se rendait compte que des fêtes d'anniversaire avaient lieu sans lui. Toujours sans lui. Et à force d'être exclu, Ludovic s'est replié davantage sur lui-même. Il s'est enfoncé davantage au fond de la cour. Des fois, je l'imaginais en venir à se fondre carrément dans le mur de briques contre lequel il prenait appui.

Je ne crois pas qu'il aurait véritablement été heureux de se retrouver au cœur d'un goûter de fête. Le bruit des sifflets et des trompettes de plastique, les cris, les courses folles, tout cela l'aurait sans doute stressé, comme ça avait été le cas durant mon neuvième anniversaire. Reste qu'il sentait bien qu'on le traitait comme un étranger, un être bizarre, une asperge martienne qu'il fallait tolérer à l'école, mais qu'on n'inviterait jamais chez soi… Et ce n'est pas parce qu'il a l'air indifférent aux autres qu'il l'est vraiment.

Une preuve? Eh bien, j'ai déjà vu, de mes yeux vu, Ludovic tomber en amitié comme on tombe amoureux. C'est arrivé pendant une récréation et j'ai assisté à la scène de loin. Il devait avoir sept ans; j'en avais onze, et je ne prétends pas que j'étais déjà expert en matière amoureuse, d'ailleurs je suis encore loin de l'être, mais même à l'époque, je savais reconnaître l'air gaga de celui qui craque pour une belle rouquine. Et puis, je suis passé par là, tout récemment ! Ah, Charlotte, Charlotte… Que fais-tu en ce moment ? Quand est-ce que je trouverai le courage de te déclarer mon amour ? Apparemment, Ludovic et moi avons au moins un goût en commun, celui des jolies rousses…

Ludovic vient de me surprendre en train de regarder une photo de Charlotte publiée dans le journal de l'école. Or, au lieu de garder le silence, j'ai fait l'imbécile et j'ai essayé de me justifier. Avec Ludovic, c'est le meilleur moyen de se créer des ennuis. Si je n'avais rien dit, il ne m'aurait pas posé de question, car son intérêt pour ce qui se passe dans la tête des autres est extrêmement limité. En vérité, il doit se forcer pour demander à quelqu'un comment ça va et, les trois quarts du temps, je pense qu'il n'écoute même pas la réponse. Au fond, il se contente d'appliquer une règle de savoir-vivre qu'on lui a enseignée. Bref, si j'avais prétendu qu'il ne se passait rien de spécial, il aurait tout simplement passé son chemin. Sauf qu'instinctivement, poussé par une sorte de gêne idiote, j'ai cru bon de m'expliquer pour minimiser la chose et préserver ma fierté de gars qui s'est fait retourner le cœur par une fille et qui n'ose pas faire les premiers pas... Ce faisant, je me suis terriblement embourbé et, en désespoir de cause, j'ai fini par faire lire les dernières lignes de mon texte à mon frère. Alors, Ludovic a tenu mordicus à procéder à une mise au point immédiate. Il ne voulait même pas utiliser son propre portable pour être certain que sa justification soit placée là où il l'entendait. J'avais manifestement touché un point très sensible.

Là, ça devient très personnel, je trouve. Je comprends qu'on écrit un documentaire à mon sujet et que tous les thèmes me concernant sont pertinents. Mais quand même... J'ai dix ans et deux cents jours. Trois ans et dix-sept jours se sont écoulés depuis ce moment décrit par Michaël, dans la cour de récréation. Je ne ferais pas les mêmes erreurs aujourd'hui. Avec madame Claudine, ma psychologue, on a beaucoup discuté de cet incident avec la petite fille rousse et j'ai pratiqué bien des exercices. Je sais maintenant qu'en rencontrant une personne pour la première fois, il faut la regarder dans les yeux, puis se présenter poliment et s'informer sur sa santé. Ensuite, on peut engager la conversation et faire très attention pour ne pas être ennuyant.

Généralement, si la personne se met à bâiller, ou à fixer le vide, ou sa montre, ça signifie qu'il vaut mieux changer de sujet. Je sais aussi qu'on ne touche pas les gens sans y être invité. On ne demande pas non plus de partager un peigne ou une brosse à dents.

Mais au moment des faits dont parle mon frère, j'avais sept ans et demi et je manquais d'expérience. Dans la cour de récréation, j'ai aperçu une élève aux longs cheveux roux, tout bouclés. Il faisait soleil et sa tête brillait comme les casseroles de cuivre de maman quand on a fini de les astiquer avec du Brasso. Je n'avais jamais remarqué cette fille auparavant. Elle devait être nouvelle. Et c'était la première fois que je voyais d'aussi près une vraie fille, pas une fille en photo, avec de véritables cheveux orange, une de mes trois couleurs préférées.

Je me suis donc approché d'elle et elle m'a regardé avec un visage qui ressemblait à ceci 😨. Elle a fait un pas de côté, m'a tourné le dos, puis a continué à discuter avec une autre élève. J'ai encore observé ses cheveux qui flamboyaient sous le soleil. Je n'ai pas pu me retenir. J'ai tendu la main et je les ai touchés. J'aime beaucoup les textures soyeuses et ses cheveux avaient l'air si doux. Elle a alors pivoté vers moi. Maintenant que je maîtrise mieux la question des expressions du visage, je sais qu'elle était fâchée. À peu près comme sur cette émoticône : 😡. À l'époque, ces sourcils froncés et ce sourire à l'envers ne me disaient rien du tout. Alors, j'ai simplement commencé à lui parler de ma passion pour les capitales africaines. J'ai eu le temps d'en énumérer dix: Bujumbura, Djibouti, Bamako, Kigali, Antananarivo, Malabo, Khartoum, Mogadiscio, Kampala, Dakar. C'est alors qu'elle a arrondi les yeux et la bouche comme ça: 😮. Je ne savais pas ce que ça signifiait. Depuis, quand ça m'arrive, je suis prudent et je fouille mentalement dans mon répertoire où se trouvent vingt et un dessins de visages étudiés avec madame Claudine. Mais là, au début de ma deuxième année, je n'ai pas eu ce réflexe. J'ai donc continué à réciter ma jolie liste: Monrovia, Djouba... La fille aux cheveux roux a éclaté de rire et m'a dit que j'étais vraiment idiot. Je me sentais comme ça: 🙁. Ensuite, elle m'a ordonné de rester loin d'elle. Elle a pris son amie par le bras et toutes deux sont parties. Je n'étais pas sûr de saisir exactement à quelle distance elle voulait que je sois. «Loin» est un mot incroyablement imprécis. On dit que la Lune est loin, mais on dit aussi que l'Australie est loin. Même chose pour le bout de notre galaxie. Parfois, quand il est fatigué, mon père va jusqu'à dire que son bureau est loin, alors qu'il n'a que quarante-deux marches à descendre pour y arriver. Alors, franchement, je ne vois pas ce que «loin» veut dire. Puis, ce jour-là, j'ai manqué de temps pour approfondir la question, car la cloche a sonné. Et quand la cloche sonne, il faut entrer dans l'école. Ou en sortir, tout dépendant où on est au moment où elle sonne.

Durant les récréations suivantes, j'ai essayé de découvrir ce que «loin» signifiait pour elle. Dix mètres? Six mètres et demi? Mais dès qu'elle m'apercevait, elle s'en allait. Pour elle, loin voulait dire «hors de ma vue». Alors, j'ai repris ma place tout contre le mur. Dommage. Ses cheveux orange étaient vraiment doux.

✳

Chapitre 7

Je ne sais pas quel effet ça fera à mes professeurs de lire ce dernier passage. Moi, il me rend triste. On voit bien que Ludovic a beau parler la même langue que les autres, et mieux que les autres la plupart du temps, il est aussi perdu qu'un petit Inuit qu'on téléporterait par magie au centre-ville de Montréal ou de Tokyo. Plus mon frère fait référence aux émoticônes, plus je le sens dépassé. On dirait un promeneur en échasses sur un trottoir glacé.

Des fois, j'essaie de me mettre à sa place. J'écoute les gens parler comme si j'étais lui. Ce matin, par exemple, la radio était allumée pendant qu'on déjeunait et un journaliste racontait les mésaventures d'un politicien qui avait tout un squelette dans son placard… Ludovic a arrêté de manger. Un squelette dans un garde-robe. Il se figurait la chose concrètement.

Si on veut égarer Ludovic, on utilise des figures de style. Il semble se noyer en elles, à la recherche de leur signification cachée. Il peut errer un très long moment sur le sujet, comme une bille dans un jeu de flipper. Et à force d'essayer de comprendre, il perd le fil de la conversation. Ou alors, il saute aux conclusions et prend tout ce qui est dit au premier degré. Le tout avec des conséquences parfois déroutantes... Par exemple, je l'ai déjà vu refuser de sortir de la maison un jour de pluie alors que ça n'avait jamais posé problème auparavant. Je lui ai proposé mon vieux parapluie orange en forme de poisson rouge pour le calmer, mais ça n'a pas marché. Je me demandais vraiment ce qui se passait. Ludovic restait blotti dans le fauteuil pivotant du salon et le faisait tourner de plus en plus vite. C'est généralement un signe qui ne ment pas : quand Ludovic est troublé, il tourne sur lui-même. Étonnamment, cela semble le calmer. Il était donc là, à tourbillonner, jusqu'à ce que je sorte moi-même de la maison. Alors, il s'est mis à crier :

— À la radio, ils ont dit qu'il pleuvait des clous ! C'est très dangereux, Michaël ! Tu ne devrais pas sortir !

Pleuvoir des clous... On a tous déjà entendu cette expression mais qui, hormis Ludovic, la prend au pied de la lettre ? Vous imaginez un peu le monde terrifiant dans lequel mon petit frère évolue, jour après jour, avec des clous tombant du ciel et des squelettes dans les garde-robes?

Et pourtant, malgré toutes ces choses qui le terrifient, Ludovic se lève chaque matin, ne remettant jamais en question le fait d'aller à l'école – sauf quand il pleut des clous ou quand une sortie scolaire est prévue, parce que ces jours-là, il se vomit les tripes tellement il est stressé à l'idée de tous les imprévus au menu, au point où mes parents finissent souvent par l'autoriser à faire l'école buissonnière.

Dans le monde extérieur, Ludovic se laisse chahuter, ne songeant pas à riposter, pensant même parfois que ceux qui rient de lui sont en réalité des amis, mais qu'il ne possède pas les outils pour les comprendre.

C'est pour toutes ces raisons que j'ai décidé d'écrire ce texte. Il fallait choisir un sujet d'éthique qu'on traiterait sous forme de récit. Pas de dissertation. Pas de discours. Juste une histoire ancrée dans le quotidien permettant d'explorer un thème moral. Un texte long d'au moins huit mille mots. Je n'aurai pas de mal à en écrire le double! Car si mon frère est un matheux exceptionnel, pour ma part j'ai toujours eu de la facilité en français. Et puis, il me semble que je tiens un sujet parfait, là. Celui de la tendance des gens à mettre de côté tous ceux qui ne rentrent pas dans le moule au lieu de s'intéresser à eux, d'être curieux et, dans le processus, d'apprendre une ou deux choses sur la vie. Évidemment, je sais bien que rien n'est tout noir ou tout blanc dans cette histoire et que mon frère a ses torts. Très involontairement, mais quand même.

✳

Pendant les deux premières années de Ludovic au primaire, j'ai pu veiller sur lui, un peu, de loin. J'étais pour ma part en cinquième, puis en sixième année. Mes parents ne m'ont pas confié ce rôle d'ange gardien. Ils ont toujours voulu que Pénélope et moi ayons une vie la plus normale possible. Ce rôle de protecteur m'est venu tout seul. J'ai assisté à un nombre incalculable de rebuffades. Incalculable pour moi, mais probablement pas pour Ludovic, même si j'espère qu'il ne tient pas un registre de toutes les fois où les autres ont été méchants avec lui. Chaque fois, j'ai souffert par procuration. Et à la longue, je me suis forgé une sinistre réputation. Je suis devenu l'ombre de mon frère et, bientôt, toute l'école a su qu'il valait mieux le laisser tranquille en ma présence.

J'étais nettement plus efficace que l'éducatrice attitrée à mon frère et aux autres cas spéciaux. En effet, après quelques semaines, j'ai constaté qu'elle s'était désintéressée de Ludovic. J'imagine qu'elle avait davantage de plaisir à bavarder avec les autres surveillants qu'à jouer à la gardienne privée avec un élève incapable de communiquer et éternellement debout dans son coin. À sa décharge, je dois reconnaître qu'elle a vraiment essayé d'entrer en contact avec Ludovic. Je me rappelle même qu'après avoir constaté l'apparente passion de mon frère pour les capitales africaines, elle avait emprunté un gros atlas illustré à la bibliothèque scolaire et avait tenté d'échanger sur le sujet avec lui. Pas de chance. La géographie n'évoquait rien pour Ludovic. Il aimait simplement la sonorité des noms des cités africaines et en faire la liste l'apaisait. Il n'a même pas regardé l'atlas que lui présentait la surveillante. On a beau être une professionnelle, une telle dégelée, ça refroidit les ardeurs. Mais elle ne s'était pas tout de suite avouée vaincue : se rendant compte que Ludovic connaissait une quantité incroyable de nombres premiers, elle a cherché des informations sur ce thème et a fait de son mieux pour démarrer une conversation là-dessus avec mon frère. Au fond, plus j'y pense, plus elle mériterait une médaille... En tout cas, ce n'est pas Ludovic qui lui a passé l'or au cou. J'étais tout près, j'ai tout entendu. Accroupie, pour se mettre à la hauteur de son élève, l'éducatrice s'est lancée :

— Savais-tu que les nombres premiers que tu aimes tant peuvent être utilisés pour écrire des messages secrets? Des messages secrets pratiquement impossibles à décoder?

Ludovic n'a pas levé les yeux. J'avais envie de lui donner un coup de coude. Pour une fois que quelqu'un faisait l'effort de comprendre ses passions! Il aurait pu faire un effort, lui aussi. Mais je savais que ça ne donnerait rien. J'ai retenu mon élan.

Un peu décontenancée, mais pas résolue à admettre sa défaite pour autant, la dame a poursuivi avec un grand sourire enthousiaste:

— Oui, oui! C'est très sérieux! Tes fameux nombres premiers peuvent servir de clé pour chiffrer et déchiffrer des communications. On appelle ça la cryptographie asymétrique. Tu ferais un redoutable espion, Ludovic! Le nouveau James Bond, peut-être.

Pas de son. Pas d'image. La pauvre aurait aussi bien pu parler en russe, tels les espions auxquels se frotte souvent le célèbre agent de Sa Majesté britannique.

— Aimes-tu les films de James Bond? Moi, je les adore! a-t-elle lancé, en désespoir de cause, avec un sourire hésitant face à l'échec imminent de ses manœuvres de rapprochement.

Oui, je m'en souviens bien. C'était un sourire qui tremblotait aux commissures, vraisemblablement un sourire forcé, crispé, découragé... Il y aurait tellement à dire sur ce malheureux sourire... Elle me faisait pitié.

Mais mon petit frère en était encore aux émoticônes les plus simples et la signification de cette expression faciale lui échappait complètement. De toute façon, il ne regardait même pas son interlocutrice. Ludovic ignore à quel point il peut nous faire sentir idiots quand on essaie en vain d'engager une discussion avec lui et qu'il persiste à agir comme si on était invisibles.

Le pire est qu'au final, apparemment exaspéré par ce qui lui semblait sans doute un détestable et inutile bavardage, voire une agression sonore, Ludovic est parti sans dire un mot et s'est planté quelques mètres plus loin pour reprendre ses simagrées. Je crois que c'est à ce moment que l'éducatrice a jeté la serviette. Force est d'admettre que d'autres l'auraient fait bien avant. J'ai su que je devais prendre le relais.

Comme je ne pouvais pas être partout à la fois, j'ai recruté certains de mes amis pour qu'ils deviennent mes informateurs. Ils étaient mes yeux et mes oreilles lorsque j'étais pris ailleurs. À l'époque, j'ai réglé bien des problèmes avec les poings. Je n'en suis pas particulièrement fier, mais parfois, il faut ce qu'il faut. Et parfois, on ne peut compter que sur soi-même. Par chance, je n'ai pas eu trop d'ennuis avec la direction. Mes ennemis étant loin d'être innocents, ils craignaient autant que moi une confrontation avec les autorités.

Bref, tant que j'étais dans les parages, il ne faisait pas bon s'en prendre à Ludovic. Mais le temps a cette manie de filer.

Alors que je suis entré à la polyvalente, mon Asperger de frère s'est retrouvé seul parmi les loups. Il faudra attendre encore deux ans avant qu'il me rejoigne et, à ce moment-là, je serai déjà en cinquième secondaire. Aussi bien dire que je ne pourrai pas vraiment le protéger de l'enfer qui l'attend. J'ai tellement peur pour lui que je m'étonne de ne pas m'en faire déjà des cheveux blancs. Parce que je vous jure que l'idée de mon frère à la polyvalente me terrorise. J'ai vu tellement d'ados devenir des souffre-douleur pour trois fois rien. Pour des niaiseries du genre être grassouillet, bégayer, porter des lunettes ou être mauvais dans les sports d'équipe. Autant dire pour n'importe quoi! Alors, Ludovic au secondaire! C'est la catastrophe assurée... À moins que sa différence si marquée ne le place carrément hors circuit. Qu'il soit étiqueté comme étant bizarre et à éviter. Est-ce ce qui pourrait lui arriver de mieux? D'être ignoré? Ce serait tout de même très triste. Parce que je sais qu'il en souffrira.

D'ailleurs, après avoir lu le passage où je racontais comment il était tombé en amitié, on en a parlé tous les deux. De l'amitié, je veux dire. À un moment, il m'a dit que l'amitié lui faisait penser aux ailes fragiles des papillons.

Si facile à briser. Il savait de quoi il parlait, parce qu'il avait eu sa période d'entomologiste collectionneur amateur. Des papillons, il en avait manipulé des dizaines. Les ailes tombant en poussière sous ses doigts malhabiles, il connaissait… J'ai trouvé sa comparaison si jolie que je n'ai pas su quoi répondre. Alors, je ne peux m'empêcher de penser qu'une personne avec de telles images dans la tête ne peut être complètement indifférente aux autres. Je crois que Ludovic souhaite avoir un ami… Malheureusement, il est mûr pour une déception grave s'il pense en trouver un dans cette jungle où c'est chacun pour soi et sauve-qui-peut et ne te fais surtout pas remarquer en étant gentil avec la grande asperge ridicule qui vient d'arriver… Une jungle où il va se faire bouffer tout cru.

Michaël exagère. Je viens de l'entendre parler avec maman de la polyvalente. Il affirme que c'est une jungle et qu'on devrait sérieusement penser à m'envoyer étudier ailleurs, dans une plus petite école. Il délire. Comme si une école pouvait être une jungle. Une jungle, c'est une forêt tropicale; la forêt amazonienne en est un bon exemple. On utilise aussi parfois ce mot pour désigner une forme de savane couverte de hautes herbes et d'arbres où vivent de grands fauves, comme en Afrique. Ce sont effectivement des endroits dangereux. Voilà pourquoi ceux qui y font des safaris restent à l'abri dans leur Jeep sous la protection de guides armés, ou naviguent dans des bateaux loin des rives et des prédateurs. Or, le climat du Québec est de type continental humide et n'est pas propice au développement de forêts tropicales ou de savanes. Les probabilités qu'il y ait une jungle ici sont donc nulles. À moins qu'on ne prenne en considération le réchauffement climatique. Sauf que même dans ces conditions, je serai mort depuis longtemps avant qu'il ne pousse une jungle aux alentours. Je n'ai donc rien à craindre de l'école secondaire. Je pense que mon frère lit trop de romans. S'il se limitait aux documentaires, il serait beaucoup moins inquiet. Moi, je ne lis rien d'autre, à part quand j'y suis obligé, comme à l'école.

L'an dernier, le six avril, une auteure jeunesse est venue nous rendre visite en classe. Nous avions lu un de ses livres pendant l'année. Il s'agissait d'une lecture obligatoire. Pour nous préparer à sa venue, monsieur Clément, mon professeur de quatrième année, nous a suggéré de lui écrire une lettre de deux cents mots au maximum dans laquelle on exposerait ce qui nous avait plu dans le livre, et ce qui nous avait déplu. Nous pouvions aussi poser deux questions. C'est le genre de travail scolaire que j'aime. Précis. Pas comme la composition de mon frère qui doit faire «au moins» huit mille mots, une affreuse approximation... De quoi devenir fou...

Toujours est-il que j'ai écrit que la couverture m'avait plu avec son champ de fleurs et son château parce qu'il y avait beaucoup de vert. J'ai dit que je l'aimais même s'il y avait du jaune dans le cœur des marguerites qui fleurissaient dans ce champ, alors que normalement je n'aime pas trop le jaune, mais que dans ce cas c'était correct parce que le nombre de pétales d'une marguerite appartient toujours à la suite de Fibonacci et que j'aime beaucoup la suite de Fibonacci. Puis, j'ai dit que la longueur du livre m'avait déplu parce que c'était trop (quatre-vingt-trois pages).

Comme première question, j'ai demandé à l'auteure s'il s'agissait d'un roman. Je me doutais que oui parce que le château du livre était habité par une famille de sorcières qui se battaient contre des fantômes qui revendiquaient, eux aussi, la demeure. Et dans la vraie vie, les sorcières et les fantômes n'existent pas.

Comme deuxième question, je lui ai demandé s'il lui arrivait d'écrire des documentaires.

Enfin, sur les conseils de madame Claudine, j'ai ajouté un post-scriptum précisant que je suis Asperger et qu'en conséquence, je préfère les documentaires. Je n'ai pas bien compris pourquoi madame Claudine a voulu que je donne ces explications. Elle m'a juste affirmé que l'auteure risquait autrement d'être vexée par mes commentaires. Même quand elle m'a montré l'émoticône de la vexation ◐, e n'ai pas saisi. Mais bon, je n'avais pas vraiment le choix. Madame Claudine est docteure en psychologie. Chaque fois que je vais dans son bureau, je vois son diplôme officiel avec un sceau de cire rouge en haut à gauche et une signature à la main, à l'encre bleue, dans le coin droit inférieur. Il serait extrêmement improbable que ce soit un faux. Ma psychologue est une vraie professionnelle, et on a toujours avantage à suivre les recommandations des spécialistes. J'ai donc ajouté le post-scriptum.

En classe, la romancière a répondu à toutes les questions des élèves. À deux questions par élève, ça en faisait théoriquement cinquante-deux. Par chance, dix questions avaient été posées deux fois et six l'avaient été trois fois, alors ça en laissait trente. Mais c'était quand même beaucoup et la dame donnait de nombreux détails. J'ai compris pourquoi son roman durait quatre-vingt-trois pages. Quand elle a lu mes questions, j'ai levé la main.

— C'est moi qui ai demandé ça, ai-je précisé.

— Tu aimes donc les documentaires?

Que voilà une phrase bizarre... Moitié affirmation, moitié question. Heureusement, la veille, j'avais travaillé le sujet des questions implicites avec madame Claudine. J'en ai donc reconnu la forme et j'ai pu répondre :

— Oui. J'aime les documentaires.

— Moi aussi, a-t-elle dit. Mais je n'écris que des romans. Tu sauras cependant que, même dans les romans, il y a du vrai ! Comme beaucoup d'écrivains, je me documente énormément avant de me mettre à écrire sur un sujet.

J'étais trop perplexe pour parler. Si les documentaires et les romans commençaient à se mélanger, je ne m'y retrouverais plus. Comment distinguer le vrai du faux ? Le réel de l'inventé ? Cette perspective ne me plaisait pas du tout et j'avais envie de protester. Mais monsieur Clément nous avait bien avertis : « Pas de chichi pendant la visite de madame Truchon ! On reste polis, bien calmes et assis à sa place jusqu'à la fin. » J'étais énervé au point où j'aurais eu besoin d'aller au fond de la classe pour ranger par ordre alphabétique les livres de notre étagère. J'ai dû faire un gros effort pour rester à mon pupitre. Mes joues sont tout de même devenues chaudes et j'ai eu envie de me taper les tempes. Puis, tout d'un coup, je me suis souvenu d'un truc pour me relaxer sans bouger de mon siège. J'ai fermé les yeux et j'ai compté dans ma tête. Lentement.

Jusqu'à dix. Je l'ai fait onze fois de suite. Quand j'ai eu fini, la visite était terminée. Si cette auteure avait écrit des documentaires, rien de tout cela ne serait arrivé. Et si mon frère se documentait davantage, il n'aurait pas peur que la polyvalente soit une jungle où on va me dévorer.

Et puis, surtout, il se trompe: des amis, j'en ai. Sauf que ce sont des amis secrets. Je n'ai pas le droit d'en parler.

Chapitre 11

J'aurais dû me méfier de ces amis secrets. Sachant ce que je sais aujourd'hui, ça paraît élémentaire, mon cher Watson... Mais c'est souvent comme ça : sur le coup, on ne se rend pas toujours compte que quelque chose est super important. Début décembre, au moment où j'incorporais à mon texte ce passage écrit par Ludovic, ça m'a échappé... Maintenant, en mars, c'est d'une telle évidence...

Alors que je tape ces lignes, j'en suis presque à la fin de ma troisième secondaire. Je procède à la révision finale de mon texte que je dois rendre sous peu. Je tiens à ajouter ces quelques mots pour qu'on ne me juge pas trop sévèrement d'avoir laissé passer l'affaire des amis secrets... De ne pas en avoir parlé, au moins à mes parents. Est-ce que cela aurait pu changer quelque chose? Peut-être pour cette fois. Reste que la candeur de Ludovic aurait certainement fini par lui causer des ennuis un jour. Et puis, il y a longtemps, des mois, que Ludovic a écrit ce passage où il mentionne des amis secrets. Avec tout ce qui s'est passé depuis, ses mots m'apparaissent alarmants. Mais à l'époque, je ne pouvais pas le deviner. Et je ne vais pas changer tout mon texte pour tenir compte de ce que je n'ai appris que quelques mois plus tard. Je ressemble un peu à Ludovic là-dessus. Lui-même a refusé de numéroter nos chapitres avec des nombres appartenant à la suite de Fibonacci, alors que ça aurait été original, parce qu'il avait commencé à utiliser les nombres premiers et qu'il ne voulait pas revenir en arrière (et on n'en était qu'aux toutes premières pages de ce manuscrit!). Et puis, modifier mon texte ne changerait pas la réalité. De surcroît, j'avais d'excellentes raisons de ne pas m'inquiéter, car Ludovic avait eu des amis secrets toute sa vie.

Bon… J'exagère. Peut-être pas toute sa vie. Mais depuis belle lurette. Des compagnons imaginaires, en fait, auxquels il inventait de complexes biographies. J'ai lu depuis que plusieurs personnes Asperger font comme lui. Ça peut paraître étonnant, parce que généralement les Asperger n'aiment pas jouer à faire semblant. Mais on dirait que le domaine des amis imaginaires est une exception à cette règle. De toute façon, je ne suis pas un spécialiste. Je peux juste raconter ce que j'ai vécu avec mon frère. Alors, les compagnons imaginaires, les amis secrets, d'après ce que je voyais, Ludovic connaissait bien. C'était des gens avec qui il avait des conversations, des monologues en réalité. Il les entretenait de ce qui comptait pour lui. Des fois, je l'espionnais. Plus jeune, je devais me retenir de rire en le voyant aussi impliqué avec des interlocuteurs fantômes. Plus tard, j'avais le goût de pleurer devant cette mise en scène de son immense solitude.

En saison, il cueillait des tas de marguerites pour démontrer à ses compagnons invisibles que le nombre de leurs pétales appartenait à la suite de Fibonacci, à moins d'une malencontreuse intervention d'un insecte qui en aurait grignoté un ou deux dans le processus. Parfois, il s'enhardissait à montrer à ses fantômes des ananas et des fleurs de tournesol. Il attirait leur attention sur les spirales logarithmiques à l'origine de la distribution des écailles et des graines. À ma grande stupeur, j'ai ainsi appris l'existence d'un incroyable mystère, du moins à mes yeux de nul en mathématiques : ces spirales inversées, les unes dans le sens des aiguilles d'une montre et les autres en sens opposé, sont des termes successifs de la fameuse suite de Fibonacci. S'il s'en trouve treize dans un sens, il ne pourra y en avoir que huit ou vingt et une dans l'autre. N'est-ce pas merveilleux ? Un véritable miracle de la nature… Je me demande souvent pourquoi elle suit de telles règles. Mes parents ne fréquentent plus les églises depuis longtemps et, à part quelques lointains Noëls de ma toute petite enfance, on ne peut pas dire que j'en sois un fervent abonné non plus. Mais cette suite de Fibonacci régissant des éléments aussi variés que le nombre de pétales d'un bouton d'or, le nombre d'écailles d'une pomme de pin ou la quantité de spirales gravées sur la coquille d'un escargot... eh bien, cela me cause un petit frisson mystique...

Je reviendrai en temps et lieu sur le sujet des amis secrets mentionnés par Ludovic à la fin du chapitre sept. Mais pour l'heure, je poursuis sur ma lancée initiale, soit les moyens développés par mon jeune frère pour se trouver une petite place pas trop inconfortable à l'école de notre quartier.

Après l'échec lamentable de la cour de récréation, Ludovic était mûr pour un autre lieu où passer ses heures de dîner. Très vite, il a découvert la bibliothèque. Pendant que les autres élèves se dépêchaient d'avaler leur repas pour pouvoir jouer dans la cour le plus longtemps possible, mon petit frère a pris l'habitude de se réfugier en ce haut lieu du savoir.

Au début, je l'ai accompagné quelques fois, question de m'assurer qu'il était le bienvenu et qu'il le resterait. J'avais peur que les choses aillent mal et que Ludovic soit de nouveau rejeté. Il aurait pu, par exemple, s'obstiner à vouloir classer les volumes par couleur. Ou par format. Ou les deux. L'ensemble aurait été joli, genre mosaïque polychrome, mais madame Gisèle, la bibliothécaire, en aurait fait une crise cardiaque. J'étais bien placé pour le savoir. Après cinq ans à fréquenter la même école, j'avais entendu cinq fois la même sévère mise en garde. En effet, à chaque début d'année scolaire, madame Gisèle convoquait chacune des classes à la bibliothèque à tour de rôle et tenait un discours dont il ressortait qu'un livre mal classé était à toute fin pratique perdu à jamais. Exactement comme si on le jetait aux poubelles... En conséquence, il était formellement interdit de remettre soi-même un ouvrage sur un rayonnage. On pouvait consulter tous les volumes qu'on voulait, mais il fallait ensuite les laisser sur les tables : le rangement était une activité sacrée réservée à la responsable de la bibliothèque. Elle nous disait tout cela les poings sur les hanches, avec le regard sévère d'un sergent devant ses nouvelles recrues. Et même si elle s'adressait au groupe, chacun de nous se sentait visé et serrait les fesses. Elle avait sûrement servi cet avertissement à la classe de Ludovic. Reste qu'encore une fois, par expérience, je savais que mon frère ne se sentirait pas concerné par des recommandations générales, car il ne se perçoit pas comme faisant partie d'un ensemble. Si on veut qu'il fasse quelque chose, on doit s'adresser à lui personnellement. Ses professeurs l'ont vite compris. Toutefois, je doutais que madame Gisèle fût consciente de cette particularité.

C'est pour cette raison que j'ai suivi Ludovic quand je l'ai vu prendre le chemin de la bibliothèque plutôt que celui de la cour d'école, quelques jours après la fermeture du carrousel dorénavant entouré d'un ruban jaune – on se rappellera que le pauvre jeu avait en effet été déclaré coupable de voies de faits graves. Sous l'œil vigilant de la vieille dame, mon jeune frère a parcouru quelques allées. Il laissait sa main droite glisser sur les volumes, paraissant apprécier les différentes textures. Son regard était attentif, se posant sur les cotes d'archivage inscrites sur de petites étiquettes collées sur l'épine de chaque ouvrage. Pour être honnête, je dois admettre qu'avant ce jour, je n'avais jamais accordé la moindre attention à ces séries de chiffres. Je ne savais même pas que ça s'appelait des cotes d'archivage… Naïvement, je croyais que les livres étaient rangés par ordre alphabétique. Tout à coup, j'ai vu mon frère prendre un bouquin, puis sans aucune hésitation, le déplacer deux étagères plus loin. Mon cœur a manqué quelques battements. Comment allait réagir madame Gisèle?

— Malheureux! À quoi penses-tu? N'ai-je pas été suffisamment claire l'autre jour? Interdiction absolue de remettre les livres sur les tablettes! C'est une tâche délicate réservée aux initiés! Et ici, il n'y a qu'une initiée : MOI! Donne-moi ce livre. Tout de suite.

L'ordre avait le mérite d'être limpide. Mon frère s'est exécuté sur-le-champ.

Madame Gisèle a examiné la cote de l'ouvrage et a entrepris de le placer au bon endroit... qui s'est avéré l'emplacement exact tout juste déterminé par Ludovic. La brave dame a rougi de confusion.

— Hum... Je n'y comprends rien... a-t-elle bafouillé. C'est forcément la chance du débutant, fut sa conclusion, après une brève réflexion. Quoi qu'il en soit, si tu veux garder le privilège de venir ici, je ne veux plus que tu recommences. D'accord?

J'ai d'abord poussé un soupir de soulagement. Madame Gisèle était dans un bon jour. Son indulgence était tout à fait inhabituelle. Puis, je me suis étouffé en entendant mon frère répliquer.

— Le livre était perdu. Je l'ai remis à sa place. En fait, je vous ai rendu service. Et normalement, quand quelqu'un nous rend service, on lui dit merci. C'est la règle.

J'ai toussoté pour attirer l'attention ailleurs que sur mon cornichon de frère. La bibliothécaire, de nouveau très rouge, s'est alors tournée vers moi.

— Ne le prenez pas au mot, madame Gisèle, ai-je plaidé. C'est mon petit frère, Ludovic, et il a tendance à parler un peu trop vite des fois… Souvent, en fait.

— C'est faux, a soutenu le cornichon.

Je répète *cornichon* parce que j'étais là à essayer de lui sauver la mise et lui, il n'avait même pas l'air de s'en apercevoir. Si c'est pas être totalement cornichon, ça, je ne sais pas ce que c'est.

Toujours est-il que Ludovic a continué.

— J'ai attendu que madame Gisèle ait fini sa phrase avant de m'exprimer. Je n'ai pas parlé trop vite du tout.

— Ton frère est un insolent, a lancé la vieille dame.

Je n'étais pas loin de partager son avis et même davantage. Insolent me semblait un mot trop gentil dans les circonstances.

— Pas du tout, a protesté Ludovic. Il n'y a aucune insolence dans mes propos. C'est vous qui êtes impolie en ne me disant pas merci.

Le visage de madame Gisèle a viré au cramoisi. Il fallait que je provoque un revirement de situation. Sachant que ces obstinations au sujet de la politesse ne nous mèneraient nulle part, j'ai posé la première question qui m'est venue à l'esprit.

— Ludovic, comment as-tu fait pour placer le livre au bon endroit?

— C'était évident, a-t-il répondu.

— Mais encore? Tu as fait comment?

— J'ai lu les chiffres écrits là, a-t-il déclaré en indiquant l'étiquette collée sur la tranche du volume.

— Oui, et puis?

— Et puis, j'ai mis le livre à sa place.

— C'est possible, ça? ai-je demandé à l'attention de la spécialiste.

Elle a levé les yeux vers le plafond avant de rétorquer :

— Très improbable. À moins que ton frère ne connaisse le système de classification décimale de Dewey.

De la part de mon frère, cela n'aurait rien eu de surprenant. Un garçon capable de réciter la liste de tous les nombres premiers jusqu'à mille pouvait fort bien maîtriser un système de classification dont la majorité des gens n'avaient rien à faire, préférant se fier à l'ordinateur pour trouver des titres intéressants.

— Tu connais le système de Dewey, Ludovic?

— Non.

— C'est bien ce que je disais, a fait madame Gisèle, la chance du débutant.

— Explique-moi comment tu t'y es pris, ai-je insisté.

Mon frère a récupéré l'ouvrage et a attiré mon attention sur la série de chiffres inscrits sur l'étiquette. Puis, il m'a montré les nombres identifiant les livres entre lesquels il l'avait replacé. Pas de doute. Ils se suivaient de façon logique. Même un nul en maths comme moi pouvait le constater. Ce livre était parfaitement à sa place.

— Mais de quelle façon as-tu saisi qu'il n'était pas au bon endroit pour commencer ? Toutes ces étiquettes se ressemblent tellement et il y en a tant !

— Excellente question, a grogné la bibliothécaire. J'allais justement la poser !

Ludovic nous a fixés quelques instants.

— Quand les livres sont là où il faut qu'ils soient, les étiquettes forment un long ruban ininterrompu. De gauche à droite, de haut en bas, et d'une section de tablettes à la suivante.

Avec son index, il nous a mimé le mouvement auquel il pensait.

— Mais lorsqu'un ouvrage a été mis quelque part par erreur, ça fait un accroc, a-t-il précisé. Le ruban est déchiré. C'est disgracieux.

— Disgracieux ! a répété madame Gisèle. Mais de quoi il cause, ton frangin ?

Sous le coup de la surprise, madame Gisèle, une Parisienne exilée au Québec depuis trente ans, retrouvait son accent et son argot. En temps normal, elle parlait presque comme nous.

Ludovic, lassé de la discussion, a recommencé à déambuler dans l'allée. Il n'a fait que quelques pas avant de repérer une nouvelle déchirure dans son joli ruban. Cette fois, il n'a pas pris le livre et s'est contenté de le pointer du doigt. De son petit pas de souris pressée, la bibliothécaire l'a rejoint. Ajustant ses lunettes, elle a examiné la cote du volume. Puis elle a pâli en portant la main à son cœur.

— Pardi! Encore un livre égaré! C'est une épidémie!

La mine inquiète, mon petit frère a examiné ses doigts. Le connaissant, je savais ce qui lui trottait dans la tête.

— Non, ne t'en fais pas, Ludovic. Les livres ne sont pas infectés. Tu ne tomberas pas malade en les touchant. «C'est une épidémie» n'est qu'une expression qui signifie que quelque chose de désagréable se produit un peu trop souvent. Une métaphore.

J'avais l'air drôlement savant avec ma métaphore... Mais quand on a un frère Asperger, on sait ces choses-là.

— Ah bon, a-t-il répondu en lançant un dernier regard sur sa main. Tu es sûr?

— Sûr et certain.

À la suite de quoi, il s'est retourné vers la bibliothécaire:

— Est-ce que je peux le ranger, madame Gisèle?

Trop émue pour être en mesure d'articuler un son, la responsable de la bibliothèque a fait oui de la tête. Ludovic a froncé les sourcils, manifestement à la recherche de la signification de ce signe non verbal dans son répertoire interne. Je rappelle qu'il n'avait que six ans et encore très peu d'expérience mondaine. Et puis, à la maison, nous avions appris depuis longtemps à éviter ce genre de communication... On disait oui, ou on disait non, on ne se contentait pas de vagues signes de tête... Le pauvre manquait donc de pratique... Malgré tout, après quelques secondes, il a semblé tomber sur la bonne page mentale avec la bonne explication. Il a alors opiné lui-même du chef en signe de reconnaissance, s'est emparé du livre, a marché jusqu'au bout de la rangée, madame Gisèle et moi sur ses talons, a tourné à droite dans l'allée suivante, a avancé d'une dizaine de foulées, s'est penché et a indiqué le bon emplacement. La bibliothécaire s'est accroupie pour constater qu'encore une fois, ce drôle d'énergumène avait raison.

— Eh bien, eh bien... a-t-elle fait d'une voix cassée. Que voilà un phénomène hors du commun...

Elle s'est relevée et a voulu mettre ses mains sur les épaules de Ludovic, sûrement pour mieux plonger son regard dans le sien. Fidèle à lui-même, mon frère a reculé de deux pas. Évidemment, c'était encore un détail que madame Gisèle ne connaissait pas. J'ai pris le taureau par les cornes et j'ai expliqué à la bibliothécaire le b a ba du syndrome d'Asperger. Elle m'a écouté très attentivement, les paupières plissées de concentration, les bras croisés sur sa poitrine, un poing sous le menton.

— Hum... Je vois, a-t-elle dit finalement. Ça ne doit pas être rose tous les jours pour toi, a-t-elle gentiment déclaré à Ludovic qui l'a regardée avec un air perplexe, ne saisissant pas ce que la couleur rose venait faire dans cette conversation.

— Mon petit frère ne comprend pas très bien les figures de style, ai-je aussitôt précisé. Sa force, ce n'est pas la poésie. Mais pour les chiffres, il est imbattable !

— Ça, je l'ai constaté par moi-même ! s'est exclamée la responsable de la bibliothèque. Et tout un esprit d'observation de surcroît !

La vieille dame a plissé davantage ses paupières.

— Et si je te proposais de m'aider ? a-t-elle demandé à Ludovic.

Inévitablement, mon frère n'a pas réagi. Encore une question implicite étrange à ses yeux.

— Ludovic, madame Gisèle te parle. Elle te demande si tu voudrais l'aider, ai-je expliqué.

— L'aider à quoi?

— À mettre de l'ordre dans cette bibliothèque, a continué madame Gisèle. En moins de cinq minutes, tu as découvert deux livres égarés. Sans toi, ils étaient perdus à jamais! Quelle tragédie!

La vieille dame a alors écarté les bras, comme pour embrasser l'ensemble des rayonnages.

— Si ça continue, cet endroit va se transformer en cimetière de livres!

Ludovic a examiné les alentours, sans doute à la recherche de pierres tombales. Il fallait de nouveau que j'agisse à titre d'interprète. Mais pour cela, je devais commencer par m'assurer d'avoir moi-même bien compris l'offre de la bibliothécaire.

— Vous aimeriez que mon petit frère fasse quoi, exactement?

— Je ne voudrais pas abuser... Mais s'il pouvait se promener de temps en temps dans les allées et me signaler les ouvrages mal rangés, ça me rendrait un fier service.

Je n'en croyais pas mes oreilles et suis demeuré muet. Ludovic aurait ainsi un accès privilégié à la bibliothèque... Un lieu paisible où il serait en sécurité, en compagnie d'une brave dame amoureuse des livres, aussi maniaque de l'ordre que lui. Une situation rêvée pour mon frère.

Madame Gisèle a pris mon silence pour une hésitation.

— Je le paierais, bien entendu!

C'était le bouquet! Mon frère gagnerait des sous à faire ce qu'il aime.

— Ça me semble une chouette idée. Qu'en penses-tu, Ludovic? Est-ce que ça te plairait de venir aider madame Gisèle à classer les livres de la bibliothèque? En plus, elle offre de te payer pour ton travail!

— D'accord, s'est contenté de répondre mon jeune frère.

Depuis, Gisèle et lui forment une belle équipe. Avec l'autorisation du directeur, Ludovic a même été promu apprenti aide-bibliothécaire. Il passe dorénavant une heure par jour d'abord à sillonner les allées bordées de livres, repérant les volumes mal rangés par des élèves insouciants pour ensuite les rapporter à madame Gisèle qui les ajoute à la pile de livres retournés. Puis, cette première tâche terminée, il s'occupe des livres accumulés dans le gros panier où les élèves déposent les volumes dont ils n'ont plus besoin. Il les réunit soigneusement sur les deux tablettes d'un petit chariot métallique. Enfin, il range le tout dans les rayons suivant le code à trois chiffres qui réfère à leur catégorie générale, 000 pour l'informatique, 600 pour la technologie, 800 pour la littérature, par exemple. Il procède de la même manière pour les chiffres suivants et termine par une classification par ordre alphabétique quand il en vient aux noms des auteurs et aux titres des ouvrages.

Désormais, la bibliothécaire peut se consacrer à des tâches bien plus agréables, telles la lecture des magazines spécialisés décrivant en long et en large les nouvelles parutions jeunesse et la commande des ouvrages particulièrement intéressants. Le budget spécial voté par le comité des parents pour l'amélioration du fonds de la bibliothèque est enfin mis à profit.

Pendant ce temps, Ludovic pousse son chariot rempli de livres, manipule les volumes comme s'il s'agissait d'objets précieux et fragiles, et les glisse à leur place attitrée avec autant de soin qu'un ingénieur nucléaire en mettrait à manipuler des barres d'uranium près du cœur d'un réacteur. Et alors que les romans, encyclopédies et albums illustrés retrouvent leur espace personnel, une certaine accalmie se fait dans l'esprit débordé de Ludovic. Ses circuits surchargés cessent de sonner l'alerte. Mon frère s'accroche à ses fonctions d'aide-bibliothécaire comme un naufragé à une bouée de sauvetage. Pour ses professeurs, c'est une aubaine inespérée : contre la promesse d'une heure de rangement à la bibliothèque, ils peuvent presque tout obtenir de Ludovic. Quelques-uns poussent le raffinement jusqu'à dresser une courte liste des comportements qu'ils souhaitent le voir adopter en échange de cette étrange récompense. Pour mon jeune Martien de frère égaré sur Terre, ces listes de comportements sont devenues le manuel d'instruction tant espéré sur l'école. D'ailleurs, Ludovic m'a déjà montré l'une de ces listes comme s'il s'agissait du Saint-Graal :

Tu dois :

1- *Rester assis à ta place ;*
2- *Lever la main avant de parler ;*
3- *Poser au maximum deux questions par heure (mais si tu n'as pas de question, tu n'as pas à en inventer, tu peux te taire) ;*
4- *Écouter le professeur ;*
5- *Suivre ses consignes.*

Et voilà. Les choses sont claires. Ludovic est ravi.

Bien entendu, cette passion dévorante pour l'antre réputée poussiéreuse et ultra ennuyeuse de l'antique madame Gisèle n'a rien fait pour améliorer la réputation douteuse de mon petit frère.

— T'es amoureux, l'Asperge ? ricanaient quelques grands de sixième année en me croyant occupé ailleurs.

Ludovic a continué son chemin sans répliquer. J'espère qu'il ne se sentait tout bonnement pas visé par ce surnom ridicule. Mais peut-être était-il simplement sage. Car poursuivre sa route était la meilleure option dans les circonstances. À part faire saigner quelques nez, ce dont je me suis chargé en toute loyauté fraternelle, le moment venu.

Chapitre 13

Madame Gisèle m'a expliqué que la classification utilisée dans notre bibliothèque scolaire était la même que dans toutes les bibliothèques occidentales. Pour l'Orient, elle ne savait pas et préférait ne pas énoncer de faussetés. Ça tombe bien, je déteste les faussetés. Par contre, j'aime beaucoup l'idée qu'un livre aura la même cote dans plusieurs pays du monde et que je pourrais le retrouver aussi facilement dans un centre de documentation à Paris qu'à Washington. Je donne ces deux villes comme exemples, mais j'aurais pu dire Dublin ou Madrid.

J'ai fait des recherches sur le sujet. Je n'ai rien trouvé sur la question de la présence ou non de la classification Dewey en Orient. Mais j'ai appris que ce système avait été développé par Melvil Dewey, en 1876. C'était un bibliographe américain. Plus tard, Henri Lafontaine et Paul Otlet ont perfectionné la classification. Mais elle porte quand même le nom de classification décimale de Dewey, parce que c'est monsieur Dewey qui en a eu l'idée le premier.

Il y a dix classes, cent divisions, mille sections. La cote 040 n'est pas encore attribuée. Je trouve ça un peu bizarre. Sinon, ce système est très structuré et très logique. Comme je suis une personne logique, c'est une manière de procéder qui me convient parfaitement. À mesure que je pousse mon chariot entre les étagères chargées de livres et que je remets les volumes à l'endroit précis prévu pour eux, pas juste en dessous, pas au-dessus, pas à côté, mais bien à l'endroit exact où la cote de classification prévoit qu'il doit se trouver, je sens ma tête se mettre en ordre elle aussi. Un peu comme quand je pense aux nombres premiers ou à la suite de Fibonacci.

J'apprécie mon travail et je le fais bien. Madame Gisèle dit que je ferais un excellent bibliothécaire, ou de façon générale, un excellent archiviste. Elle m'a expliqué qu'il faut des archivistes dans plusieurs milieux de travail : dans les hôpitaux, dans les tribunaux, dans les ministères, dans les musées... et que ma minutie serait appréciée partout. Son idée me semble plus prometteuse que celle de cette étrange éducatrice qui voulait que je devienne espion. Ou était-ce acteur de cinéma ? Car elle avait aussi parlé de James Bond, et James Bond est un personnage de film. Pire, c'est même un personnage de roman. Toujours est-il que je ne suis pas certain d'avoir bien compris le sens de ses paroles. Mais je me vois bien dans une profession qui m'amènerait à pousser un chariot rempli de documents que j'aurais pour tâche de remettre exactement au bon endroit. Ça me conviendrait parfaitement. Beaucoup plus que les professions exercées par mes parents. Ça, c'est sûr.

Mon père est vétérinaire. Sa clinique est au sous-sol de l'immeuble où nous habitons. Il peut y accéder de l'intérieur, par un escalier en colimaçon qui me fait penser à un serpent. Quand j'étais petit, j'avais un peu peur de cet escalier. Maintenant, c'est correct. Et puis, c'est pratique quand il pleut ou quand il y a une tempête de neige. Des fois, mon père est distrait et il oublie d'enlever ses pantoufles avant de descendre au travail. Ma mère le rappelle à l'ordre. J'ai mis du temps à comprendre en quoi c'était important qu'il porte des souliers en cuir verni au lieu de chaussons fleuris. Moi, je me disais que les animaux seraient bien traités de toute façon. Mais maman dit que la convention sociale est que l'on peut mettre des chaussons quand on est chez soi, mais qu'ailleurs on met des souliers. Alors, avant de descendre travailler, mon père doit vraiment penser à enlever ses pantoufles et à enfiler des chaussures. Quand il oublie, maman ou moi on se charge de le lui rappeler.

J'aime bien voir mon père soigner les animaux. Il y met beaucoup de douceur. Il a une façon à la fois ferme et délicate de les manipuler, les entourant d'un bras tout en les serrant contre sa poitrine. J'ai vu des caniches tout tremblotants se calmer quand mon père les prend de cette manière. Il peut alors les ausculter avec son stéthoscope et découvrir si quelque chose ne va pas. J'ai remarqué que, moi aussi, je me sens plus tranquille lorsque je me blottis sous mon lit ou au fond de mon placard, tout entouré par des structures solides qui me soutiennent. C'est le genre d'endroit où je vais me cacher quand mes circuits s'échauffent. Peut-être que mon père est pareil et qu'il comprend le bien que ça fait aux animaux paniqués d'être tenus fermement. Je peux le faire, moi aussi, et il m'arrive d'aider papa. Mais je n'aime pas quand il doit piquer des animaux malades. Surtout ceux qui sont doux et roux. Je ne pourrais pas faire ça. Ni bavarder avec les propriétaires comme lui, pendant qu'il soigne leur animal de compagnie. Je ne saurais pas faire ça non plus. Alors, vétérinaire, ce n'est pas pour moi.

Ma mère, elle, possède une boutique où elle vend des savons artisanaux qu'elle fabrique avec son amie Valérie dans l'annexe qui se trouve dans la cour de notre immeuble.

Elle y vend aussi des huiles parfumées et des produits à base de lavande qui viennent de la ferme de Marie-Pier, une autre de ses amies, qui a des champs à l'île d'Orléans. Le magasin de ma mère est juste au-dessus de la clinique vétérinaire et directement au-dessous de notre appartement qui occupe les deux étages supérieurs du bâtiment. Maman aussi accède à son lieu de travail par l'escalier en colimaçon. Mais, contrairement à mon père, elle pense toujours à porter des chaussures.

Je trouve que ça sent bon dans sa boutique et ce qu'on y fait n'est pas compliqué. Il suffit d'exiger du client le prix indiqué sur chaque emballage et de mettre l'argent dans la caisse enregistreuse. Cependant, je ne pourrais pas occuper cet emploi, car encore une fois, il faut entretenir des conversations avec les gens. Je ne suis pas doué pour ça. Même si madame Claudine me donne des trucs, comme une liste de sujets qui intéressent la plupart des personnes, et des suggestions de questions pour entamer des discussions, je n'arrive à rien. Le problème est que je ne sais jamais quoi ajouter après avoir récité ma liste. Alors, je me tais. Je me sens ☹ et j'ai envie de me retrouver dans ma chambre ou à la bibliothèque.

Dans la boutique de ma mère, il passe en moyenne deux ou trois clients à l'heure. Entre neuf heures du matin et dix-sept heures, ça donne de seize à vingt-quatre clients. De toute évidence, la liste de madame Claudine ne me suffirait pas pour les entretenir. La savonnerie n'est donc pas une carrière envisageable pour moi.

Toutefois, archiviste ou bibliothécaire, ça, je pourrais. Michaël est d'accord. Il dit que ce serait dans mes cordes. Encore une expression qui m'embrouille le cerveau, comme si mes neurones étaient pris dans un filet de pêche. J'ai des cordes partout dans la tête. Et ce n'est pas une métaphore que j'utilise là. C'est vraiment comme ça que je me sens. Ça me gâche la satisfaction d'avoir trouvé ma future profession.

Décidément, je n'apprends pas. Je n'aurais jamais cru faire autant de figures de style avant de me lancer dans ce projet d'écriture… On dirait que c'est pire quand il faut que je me retienne. Or, sur le chemin des métaphores, je ne peux que perdre mon petit frère.

Ça me fait penser qu'aujourd'hui, en classe de français, on vient de réviser les oxymorons. Certains ont trouvé que ça sonnait comme une insulte… Toute la journée on a entendu des «Niaiseux d'oxymorons!» par-ci, des «T'es donc ben oxymoron!» par-là. Franchement…

Un oxymoron, au cas où vous ne le sauriez pas, c'est une sorte de non-sens poétique. Heureusement pour Ludovic, ce n'est pas le genre d'expression qu'on utilise spontanément. C'est une façon d'écrire et de communiquer qui demande réflexion. Notre maîtresse nous a parlé, par exemple, de Victor Hugo qui, en mourant, aurait dit : « Je vois de la lumière noire. » C'est très beau, mais pas pour mon frère qui ne peut concevoir que la lumière soit noire. Le pauvre a déjà tant de difficulté à se dépêtrer dans des filets de pêche ou des averses de clous...

Une vie sans poèmes, je trouve ça bien triste. Lorsque j'essaie de regarder le monde à travers les yeux de mon frère, moi aussi j'ai envie de me cacher sous mon lit ou au fond de mon garde-robe. D'un autre côté, le passage que vient d'écrire Ludovic illustre bien la ténacité dont je parlais plus tôt. Il n'a pas encore onze ans et déjà il réfléchit à son avenir professionnel. Moi, j'en ai quatorze et je n'ai aucune idée à ce sujet. J'ai flirté avec la possibilité de devenir policier ou astronaute, comme plusieurs de mes amis. Mais une série de tragédies récentes impliquant des policiers m'a passablement coupé les ailes (ça y est ! Je recommence ! Ludovic va dire que je me prends pour un oiseau ou pour un papillon mutilé !). On a beau accorder aux agents morts en service des funérailles grandioses, ce n'est rien comparé à toute cette vie qu'on leur a volée. Sans compter les souffrances de leurs familles. Alors, les forces de l'ordre, je mets une croix là-dessus, peut-être même une couronne de fleurs...

Quant à devenir astronaute, c'est à peu près comme gagner à la loterie. D'ailleurs, il paraît que le Canada a utilisé tous ses crédits auprès de la NASA pour envoyer Chris Hatfield dans l'espace. Deux fois. Le chanceux... Mais il ne reste plus rien pour les autres... Alors, m'entraîner des années et rester bloqué au sol, très peu pour moi. Je n'irai pas sur la Lune autrement qu'à bord d'une autre de ces métaphores auxquelles Ludovic ne comprend rien.

Toujours est-il que mes parents affirment qu'il n'y a aucune urgence à choisir ma future profession. Dans le pire des cas, ils disent que je n'aurai qu'à prendre le relais de mon grand-père qui tient une boutique aussi originale que lui à deux coins de rue de chez nous. Ils font des blagues, bien sûr. À moins d'un miracle, ce magasin ne survivra pas jusqu'à ma majorité. Et pour cause...

À l'ère du traitement de texte, Philémon, mon grand-père paternel, vend du matériel de calligraphie et d'enluminure : des plumes d'oie véritables, de précieuses encres égyptiennes ou de Chine, des papiers fins et même des feuilles d'or pur. Depuis quelques années, et à la suite de pressions de ma mère redoutant la faillite, grand-papa consent aussi à offrir des produits moins raffinés et les profits qu'il en tire lui permettent de faire ses frais : stylos billes, crayons à mine, cahiers lignés, manuels scolaires au programme des écoles privées avoisinantes. Évidemment, il est agacé par la présence de ces trucs sur ses tablettes. Je dirais même qu'il se ratatine un peu chaque automne, quand son magasin est pris d'assaut par les parents et les enfants à la recherche de ces marchandises sans panache. Visiblement, il a hâte que toute cette agitation soit finie et que reviennent enfin les mois tranquilles où seuls les vrais amateurs d'arts et lettres franchiront le seuil de son commerce. Alors, des heures peuvent s'écouler sans que la clochette suspendue à la porte du magasin soit dérangée. Mais grand-père ne s'ennuie pas. Il a toujours quelques travaux d'enluminure à effectuer. Des commandes spéciales dont certaines lui arrivent d'aussi loin que l'Europe. Penché sur ses parchemins, une plume à la main, il peut alors rêvasser à son goût. Je parierais qu'il se croit parfois dans un monastère médiéval. Son atelier ne s'appelle pas *Le pelleteux d'images* pour rien (encore une idée de ma mère).

Reste qu'il faut le voir s'animer lorsque se présente à sa boutique un vieux monsieur à lorgnon, ou une dame aux cheveux blancs remontés en chignon et aux lunettes en demi-lune pincées sur le nez. S'ils ont les doigts tachés d'encre, c'est encore mieux. Certains jeunes clients suscitent également l'enthousiasme de papy Philémon : ils ont généralement l'air de sortir d'un film historique ou d'un tableau ancien. Avec ces clients très romantiques, mon grand-père peut parler pendant des heures. Il leur présente des encres et des papiers qu'il hume avec eux, les yeux fermés, comme ces spécialistes qui goûtent le vin. Il décrit le noir profond d'une encre et la compare à un ciel de nuit sans lune, ou alors il fait légèrement tourner un pot d'encre bleue, s'extasiant sur ses reflets de turquoise ou de lapis-lazuli. Tout un spectacle. J'ai déjà vu des clients échanger des regards amusés pendant que mon grand-père se livrait à ces démonstrations. Certains avaient l'air de se dire que le brave homme était un peu fêlé. Et pourtant, pas du tout. Grand-père Philémon a toute sa tête. Et même un peu plus.

D'une certaine façon, il me fait penser à Ludovic. Ils sont tous les deux fascinés par des sujets très pointus, sur lesquels ils ont accumulé une quantité incroyable de connaissances, tout en étant très malhabiles dans la vie quotidienne. Au fond, Ludovic et grand-papa sont tous les deux décalés à leur façon. Grand-mère étant morte depuis longtemps, Philémon vit seul, sans personne pour veiller sur lui. Comme il habite, lui aussi, au-dessus de son magasin, il lui arrive de temps en temps d'y descendre en robe de chambre et en chaussons à rayures, et d'ouvrir ainsi accoutré. Plus personne ne s'en étonne dans le quartier. Sauf Ludovic. Il faut dire qu'à force de se faire enseigner les bonnes manières, mon petit frère est devenu très à cheval sur certains principes. Pour lui, les bases du savoir-vivre sont une sorte de Code de la route. C'est tout un carambolage dans sa tête quand ces règles sont violées. Alors, en sa présence, il vaut mieux ne pas oublier de regarder les gens dans les yeux quand on les salue, de dire merci quand c'est le temps, de garder son rang dans une file d'attente, de s'habiller correctement quand on sort en public et de ne porter pyjama et pantoufles qu'à la maison. C'est pourquoi notre grand-père oublieux des convenances le désarçonne souvent. Pour Ludovic, papy en pantoufles dans sa boutique, c'est comme papy qui marcherait au plafond.

Noël approche à grands pas. Et avec lui les deux semaines des vacances des Fêtes. Pour la plupart des gens que je connais, c'est un temps béni entre tous où on peut enfin relâcher la pression, manger n'importe quand, se coucher et se lever à pas d'heure, écouter la télé en pyjama l'après-midi, oublier les obligations du bureau et de l'école. Pour notre famille, par contre, c'est un moment périlleux. Le quotidien se déstructure. Des amis nous convient chez eux ou passent nous voir à l'improviste. L'imprévu s'invite dans notre existence, au grand désespoir de Ludovic qui se détricote au fil des jours. Mes parents ont beau essayer de maintenir un horaire régulier, on ne peut pas échapper complètement à la douce folie de ces jours d'hiver.

Le problème est qu'en réaction à tout ce désordre, Ludovic devient encore plus rigide. Il insiste pour conserver sa place attitrée à la table, même quand il serait plus approprié qu'il la cède à un oncle ou à une tante de passage. Il chronomètre le temps qu'il consacre à se brosser les dents, veillant à respecter scrupuleusement les deux minutes conseillées par le dentiste. Il mesure son jus d'orange et pèse ses céréales, cent vingt-cinq millilitres du premier, quarante-cinq grammes des secondes. Il utilise un nombre record de fioles de colorant alimentaire, s'assurant que sa nourriture est d'un vert ou d'un orangé parfait. Il avale des litres de lait dont la blanche pureté le réconforte.

Il passe aussi beaucoup de temps dans sa chambre, loin des aires communes de la maison noyées de décorations qui ne lui disent rien de bon. Parfois, je l'aperçois qui s'aventure en dehors de sa tanière pour se poster au seuil du salon. Alors, les bras ballants, la mine confuse, il observe le grand intrus lumineux qui occupe l'espace où se trouve habituellement le fauteuil préféré de maman. Ce sapin arraché à sa forêt et disparaissant sous les boules multicolores l'intimide. Il ne comprend pas ce que l'on célèbre, seulement que tout le monde est devenu encore plus bizarre que d'habitude.

Chez moi, une scène typique de Noël se déroule donc comme suit :

— Pourquoi as-tu mis sept places à la table, maman ? interroge mon frère.

— Parce que Justine et son nouvel ami viennent souper avec nous, répond notre mère.

— Comment s'appelle son ami ?

— Matthieu.

— Matthieu avec deux t ou Mathieu avec un t ?

— Je ne sais pas, Ludovic. Pourquoi ? C'est important ?

— Ce n'est pas pareil du tout.

— On lui posera la question, d'accord ?

— D'accord.

Ludovic ne se tait qu'un instant.

— Viendront-ils en auto ?

— Oui, je crois. Ils habitent à quelques kilomètres d'ici.

— À combien de kilomètres ? demande mon frère.

— Une dizaine.

— Une dizaine, ça ne veut rien dire. À combien de kilomètres habitent-ils? insiste Ludovic, allergique aux estimations.

— Je l'ignore, mon grand. On leur demandera ça aussi.

Le visage de Ludovic commence à rougir. Occupée à disposer les ustensiles sur la table, maman ne s'en rend pas compte immédiatement.

— Comment seront-ils habillés? s'inquiète mon jeune frère.

Maman ne l'entend pas; elle vient de repérer un faux pli sur la nappe et a entrepris de le lisser du plat de la main. Le pli est coriace. Ma mère déplace donc légèrement une assiette à pain pour dissimuler le tout. Au même moment, Pénélope veut se rendre utile. Elle est allée chercher des couverts dans sa maison de poupée et en place une poignée près de chaque assiette.

— Ma chouette! Que tu es fine! s'exclame aussitôt ma mère. Mais tes ustensiles sont bien trop fragiles! On risque de les abîmer avec nos grandes dents! Rapporte-les vite à l'abri dans ta chambre!

Pénélope rouspète un peu, mais s'exécute. Elle aime beaucoup son ensemble de dînette et ne tient pas à ce qu'il soit endommagé. Elle revient rapidement.

De plus en plus rouge, sûrement très frustré d'être ignoré, Ludovic répète sa question.

— Comment seront-ils habillés?

— Qui ça? fait maman qui a perdu le fil de la discussion.

Ludovic est maintenant cramoisi.

— Justine et Mathieu avec un t ou Matthieu avec deux t.

— Mais, Ludovic! Comment veux-tu que je le sache?

Si mon frère était vieux, soixante ans par exemple, la couleur «crise cardiaque» de son visage vaudrait un appel au 911.

— As-tu préparé un gâteau au chocolat? s'informe-t-il, dans un magnifique effort pour remettre la situation sur les rails.

— Un gâteau au chocolat? Non. Depuis quand aimes-tu le chocolat? Je croyais que tu détestais tout ce qui est brun.

— Je n'aime pas le chocolat. Mais quand tu as des invités, tu fais toujours un gâteau au chocolat.

— Ah bon, se contente de répondre ma mère. Je n'avais pas remarqué. Heureusement que ce n'est pas au menu ce soir... Justine se dirait que je ne sais rien cuisiner d'autre!

Elle s'esclaffe.

C'en est trop pour Ludovic. Maman n'a pas le droit de rigoler quand l'heure est aussi grave. En effet, des gens dont l'un est porteur d'un prénom à l'orthographe non précisée, qui vivent à une distance non précisée, vont arriver habillés d'une façon non précisée. En prime, la nature du dessert qui sera servi est incertaine. Du coup, Ludovic se met à grogner tout en oscillant d'avant en arrière, tel un arbre dans une tempête. Il bat des bras.

— Zut, zut, et rezut! se désole maman.

— Ludovic pète les plombs! Vite, aux abris! fait Pénélope en souriant, car elle en a vu d'autres et il lui en faut davantage pour s'émouvoir.

— Michaël, tu peux emmener Pénélope, s'il te plaît? me demande ma mère.

— Bien sûr!

Je prends ma petite sœur par la main.

— Allez, viens avec moi, souricette la coquette. On va aller jouer un peu à la dînette!

Ma sœur adore ce surnom. Aussitôt dit, aussitôt fait. Pénélope et moi nous éclipsons pendant que maman termine de mettre la table. Elle ne tente pas de raisonner Ludovic, c'est inutile. L'agitation de celui-ci va graduellement s'estomper d'elle-même. Et quand il sera un peu plus calme, maman lui donnera une petite tâche qui l'apaisera un peu plus. Ranger le reste des ustensiles dans leur tiroir, plier les serviettes de table en quatre, aligner les chaises bien droites. Plus tard, elle reverra avec lui ce qu'il pourra faire la prochaine fois qu'il sentira le contrôle d'une situation lui échapper : ce pourrait être de compter dans sa tête, de frapper dans un coussin, de réciter le plus de nombres premiers possible. Du moment qu'il a le sentiment de récupérer un semblant d'emprise sur un monde rempli de sensations incompréhensibles et d'agressions quotidiennes...

Pendant ce temps, Pénélope fouille dans sa boîte aux trésors. Après quelques minutes, elle en tire une grosse coquille d'escargot. Nous allons la déposer sur l'oreiller de Ludovic.

— Parce qu'on l'aime quand même, hein, Michaël? dit-elle en refermant la porte de la chambre de notre cornichon de frère.

— Ben oui, on l'aime!

Plus tard, elle m'invite à prendre le goûter avec sa poupée préférée. Je me régale de gâteaux en plastique décorés d'arachides et de guimauves miniatures. Elle me sert même du jus de pomme imaginaire. Deux fois.

— Je vais éclater! lui dis-je en reposant mon verre vide sur la petite table.

Je fais semblant de roter. Elle est folle de joie.

Lorsque mon père arrive de l'épicerie, tout est redevenu calme. Ludovic est occupé à mesurer les ingrédients dont maman a besoin pour préparer son dessert : un renversé aux poires. Mon jeune frère est d'une précision maniaque qui convient parfaitement à l'art délicat de la pâtisserie. Si la recette requiert cinq millilitres de poudre à pâte, il n'en mettra pas un demi-millilitre de trop... Même exactitude pour les mesures de farine, de sucre et de lait. Toutefois, étant incapable de distinguer précisément le petit du gros et du moyen, il n'aime pas choisir l'œuf. Pour éviter tout déraillement, maman s'en charge elle-même.

Chapitre 17

Pour Noël, j'ai reçu :

1- Une paire de bas orange;
2- Une paire de bas verts;
3- Une paire de bas blancs;
4- Un drapeau de l'Irlande;
5- Un drapeau de la Côte d'Ivoire;
6- La réplique de l'Orient-Express;
7- Un jeu vidéo de course automobile pour ma 2DS;
8- Une ammonite;
9- Un neuvième cadeau qui ne compte pas vraiment, car il s'agit d'une proposition pour mon cadeau d'anniversaire.

J'ai eu huit vrais cadeaux, mais j'ai dit merci neuf fois, parce que Michaël et Pénélope s'étaient associés pour me donner l'ammonite. Je me sentais très 🙂 de recevoir ce cadeau. J'aime beaucoup les ammonites. Ce sont des mollusques céphalopodes fossiles datant du Dévonien, une ère géologique débutant il y a quatre cent seize millions d'années et se terminant il y a trois cent cinquante-neuf millions d'années. Quand j'ai révélé ces chiffres à ma famille le soir de Noël, ma mère a déclaré très sérieusement qu'on ne risque donc pas de se tromper en affirmant que les ammonites sont très, très vieilles. Puis, ils ont tous éclaté de rire. Sauf Pénélope qui ne comprenait pas plus que moi ce qu'il y avait de drôle dans cette affirmation. La coquille des ammonites est enroulée et la séquence de ses spirales est une suite de Fibonacci. J'ai enveloppé mon ammonite dans sept épaisseurs de papier de soie avant de la ranger dans ma boîte d'objets précieux.

Avec mon père, j'ai suspendu les drapeaux au-dessus de mon lit. Ça me plaît de les regarder. Ils sont constitués de trois bandes de couleur et pas n'importe lesquelles : mes couleurs préférées. Mes parents ont effectué des recherches sur Internet pour trouver des pays possédant des drapeaux incluant le vert, le blanc et l'orangé. Puis ils les ont commandés pour moi. Il s'agit de cadeaux très personnalisés.

De mon côté, je ne suis pas doué pour faire des cadeaux. Cette démarche exige en effet de penser comme la personne à laquelle on veut offrir un présent. Il faut se mettre à sa place et je ne peux pas. J'ai beau essayer, il me vient juste des idées de cadeaux que j'aimerais recevoir. C'est comme le *test de Sally et Anne*, mais en plus difficile encore. Alors, je demande à ceux à qui je veux offrir quelque chose de me donner trois suggestions. De cette façon, ils ont tout de même une surprise parce qu'ils ne peuvent pas prévoir laquelle de leurs suggestions je vais choisir.

Cette idée me vient de madame Claudine, ma psychologue. Elle affirme que, contrairement à moi, la plupart des gens adorent l'élément de surprise qui compte beaucoup dans le plaisir qu'on éprouve à recevoir un cadeau. Je ne suis pas du tout certain qu'elle ait raison. Par exemple, si Michaël et Pénélope m'avaient donné un os de dinosaure au lieu d'une ammonite, j'aurais été très surpris. Mais je ne crois pas que ça m'aurait fait plaisir. Alors que l'ammonite n'était pas vraiment une surprise parce que le nom de la boutique d'où elle venait était inscrit sur le sac cadeau et que je connais bien ce magasin qui ne vend que des ammonites. Pourtant, malgré l'absence d'imprévu, j'étais très content. Peut-être qu'il arrive à madame Claudine de se tromper, malgré ses diplômes. Je n'aime pas du tout cette possibilité. Mais, logiquement, je dois l'envisager. J'ai quand même décidé de suivre son conseil et j'ai demandé à Michaël, Pénélope, papa et maman trois suggestions de cadeaux pour chacun d'eux.

Le jour où j'ai décidé de faire mes achats, il a fallu que j'emprunte de l'argent à Michaël. Il a été étonné:

— Je pensais que tu gagnais des sous à la bibliothèque?

— Pas des sous, Michaël. Des dollars.

Il a fait son roulement d'yeux coutumier.

— Oui, oui, des dollars. C'est encore plus que des sous, justement. Où sont-ils passés?

— Je ne les ai plus.

— Ça, je l'ai compris, Ludovic. Je te demandais seulement ce que tu en avais fait!

— C'était mes dollars. J'en ai fait ce que je voulais.

Je commençais à avoir les joues chaudes et sûrement très rouges. J'avais vraiment envie de me taper la tête. Je ne voulais pas mentir à Michaël, mais j'avais promis à mes amis secrets d'être discret. Alors, je me sentais comme si quelqu'un tirait sur mon bras droit et quelqu'un d'autre sur mon bras gauche. Chacun de toutes ses forces. Ça me rappelait une scène du film *Louis Cyr, l'homme le plus fort du monde*, celle où il est presque écartelé entre quatre chevaux qu'il tente de retenir près de lui. J'avais accepté d'aller voir ce film au cinéma parce qu'il s'agit d'une biographie. Et les biographies sont une sorte de documentaire. Sinon, je ne vais pas au cinéma. Les films de fiction ne m'intéressent pas. Tout ça pour dire que pendant que je pensais à

Louis Cyr qui passait un très mauvais moment, je passais un très mauvais moment, moi aussi. Michaël me fixait. J'avais le visage de plus en plus chaud. Je me suis mis à souffler très fort.

— Te fâche pas, Ludovic! Et puis, tu as bien raison : ton argent, tu le gagnes, alors tu le dépenses comme tu veux. Tope là, on fait la paix!

Il a tendu son bras droit, la paume tournée vers le haut. J'ai compté jusqu'à dix-sept pour me calmer, puis j'ai tendu le bras droit moi aussi, la paume vers le bas. On a fait semblant qu'on allait se toucher, puis on a freiné le mouvement avant que nos mains se joignent en un claquement. C'était un très bon «tope là». Michaël a souri.

— Tu as besoin de combien?

Après qu'il m'a remis la somme demandée, je suis parti faire mes emplettes. Il y a tout ce qu'il faut comme magasins dans le quartier où on habite. C'est pratique, on peut se déplacer à pied. Je connais parfaitement les horaires des autobus ; je les ai étudiés sur le site Internet du réseau de transport en commun. Mais je n'aime pas les transports en commun. Je ne prends le bus que s'il le faut vraiment. À l'intérieur, c'est plein de passagers que je ne connais pas. Il y en a même qui s'assoient à côté de moi. Une fois, c'était une grosse dame qui sentait la vanille, une drôle d'odeur de guimauve fondue. Ça m'a rappelé une soirée chez Marie-Pier, l'amie de ma mère qui vit à l'île d'Orléans. On avait fait un feu de camp et on faisait rôtir des guimauves. J'avais laissé mon bâton trop longtemps au-dessus du feu et ma guimauve était beaucoup trop chaude et elle m'a brûlé la bouche quand j'ai voulu la manger. J'ai même eu une cloque. Alors, je n'aimais pas le parfum de la grosse dame. Il me brûlait la bouche. En plus, elle était tellement grosse que sa cuisse gauche touchait ma cuisse droite et son énorme ventre me débordait dessus. J'avais le cœur qui battait trop fort et je m'inquiétais. J'ai pensé que j'allais disparaître, avalé par ma grosse voisine. Je me suis tassé contre la fenêtre autant que j'ai pu. Ça n'a rien changé. Sa cuisse et son ventre ont continué de déborder sur moi. Il faisait chaud dans le bus. Son parfum à la vanille sentait très fort. Il a fallu que je me lève. J'ai fini le trajet debout. Alors, pouvoir effectuer mes achats de Noël à pied, ça me rendait content.

Pour Pénélope, j'ai acheté une fausse couronne dorée avec six fausses pierres précieuses collées dessus : deux faux diamants, deux faux rubis, une fausse émeraude et un faux saphir. Ma petite sœur aime se déguiser, surtout en princesse, même quand ce n'est pas l'Halloween. Elle met les souliers à talons hauts de maman et un tutu de ballerine, se maquille avec du rouge à lèvres et invite ses poupées à une grande fête dans sa chambre qui, dit-elle, est un château. D'autres fois, elle se couvre avec un drap blanc dans lequel sont découpés deux trous pour les yeux et elle se promène dans la maison en faisant *Hou! Hou! Je suis un fantôme!* Mais je n'ai pas peur. D'abord, je sais que les fantômes n'existent pas. De plus, je reconnais sa voix. Mais quand ils la voient sous son drap blanc, mes parents et Michaël se mettent à gémir et ils tentent de s'enfuir. Alors, Pénélope éclate de rire et même eux la reconnaissent. Ils arrêtent d'avoir peur. À moins qu'ils n'aient fait semblant tout le temps. Ça se pourrait. Les gens jouent souvent à des jeux où ils font semblant. Je ne suis pas doué pour ça. Avec sa fausse couronne, Pénélope pourra faire semblant d'être un fantôme de princesse. Elle n'aura qu'à l'enfiler par-dessus le drap blanc. J'en déduis que ça lui plaira.

Michaël, lui, m'a suggéré de lui offrir un magazine, soit de moto, soit d'auto, soit d'informatique. Comme il n'a que quatorze ans et pas encore de permis de conduire, le choix ne semblait pas difficile. Malheureusement, une fois devant les étagères de magazines spécialisés en informatique, j'ai constaté qu'on en proposait treize différents. La commis ne connaissait rien sur le sujet. Elle ne m'a été d'aucune utilité. J'ai donc attendu qu'un client se présente dans cette section de la boutique. Après cinq minutes, il est venu quelqu'un. C'était un vieil homme avec une moustache et une barbichette blanches et des lunettes rondes à fines montures de métal gris pâle. Il portait sur sa tête un bonnet de laine vert qui cachait la couleur de ses cheveux. Il avait un manteau gris foncé, une écharpe verte comme son bonnet et des bottes noires. Je n'ai pas bien vu son pantalon parce que son manteau était long, mais je crois qu'il en portait un. En tout cas, je n'ai pas remarqué de peau poilue au-dessus de ses bottes. Heureusement, parce que sinon je n'aurais pas pu lui parler. Les messieurs se promenant sans pantalon ne m'inspirent pas confiance. J'ai laissé le vieil homme examiner les présentoirs et effectuer sa propre sélection avant de lui adresser la parole. Je n'aime pas aborder des étrangers, mais je n'avais pas le choix. Par chance, ce client ne ressemblait pas à un des dix criminels les plus recherchés au Canada dont j'avais lu les descriptions sur le site de la Gendarmerie Royale du Canada juste avant de partir. On ne sait jamais qui on peut croiser quand on sort de chez soi.

— Bonjour, je m'appelle Ludovic et j'ai besoin que vous m'aidiez.

Le monsieur s'est tourné vers moi. J'ai vu ses sourcils se froncer. Selon madame Claudine, cela peut avoir diverses significations, les plus courantes étant l'incompréhension ou le mécontentement. L'expression de la bouche peut permettre de faire la différence entre ces deux émotions. Dans l'incompréhension, les lèvres seront entrouvertes et la bouche un peu arrondie; s'il s'agit plutôt du mécontentement, les lèvres seront probablement pincées. Je déteste ces approximations; on ne peut jamais être sûr de rien avec les expressions faciales. En plus, la moustache du vieux monsieur m'empêchait de bien voir sa bouche. Il pouvait donc être fâché ou juste surpris... Normalement, je n'aurais pas insisté. Toutefois, l'affaire était d'importance. Il était question du cadeau de Noël de mon frère.

— Je ne connais rien aux magazines d'informatique, ai-je expliqué, et je dois en choisir un pour mon frère. Pourriez-vous m'aider?

Et là, même si sa moustache lui tombait toujours sur la bouche, j'ai vu le vieux monsieur sourire. Ses sourcils n'étaient plus froncés. J'en ai conclu qu'il avait simplement dû être surpris, et non fâché, qu'un étranger l'aborde devant le présentoir des magazines d'informatique. Son sourire voulait dire qu'il était heureux de m'aider. J'ai été rassuré, jusqu'à ce qu'il me réponde:

— Bien sûr! Je serai ravi de te donner un coup de main! Quel âge a ton frère?

J'ai reculé de cinq pas, pour être à bonne distance de ses mains. Par chance, il n'a pas essayé de me frapper. Il a continué de sourire. J'ai pensé que *coup de main* ne devait pas être synonyme de *coup de poing*. Mais je n'ai pas pris de risque, je ne me suis pas rapproché.

— Mon frère a quatorze ans.

— Hum, a-t-il fait en caressant sa barbichette. Et il s'y connaît beaucoup en ordinateur?

— Beaucoup? Je ne sais pas.

— Possède-t-il un ordinateur?

— Non.

— Hum, c'est embêtant. S'il avait son propre PC, ça m'aurait déjà indiqué qu'il n'est pas un total débutant... Mais s'il n'a pas d'ordinateur...

— Je n'ai pas dit qu'il n'en avait pas. J'ai dit qu'il n'en avait pas un.

Le vieux monsieur s'est gratté la joue. J'ai espéré qu'il n'ait pas de maladie contagieuse.

— Oups, tu m'as perdu, là, mon p'tit gars.

— Je ne suis pas votre p'tit gars. J'ai déjà un père. Il s'appelle Louis Gauthier. Mon nom, c'est Ludovic. Je me suis présenté tout à l'heure.

— Tu es le fils de Louis Gauthier, le vétérinaire?

— Oui.

— Je le connais! C'est lui qui a soigné Angel, ma petite caniche, après une fracture de la patte. Il a des doigts de fée, ton père!

Je n'ai rien répondu. Cet homme me semblait étrange. D'abord il se dit ravi de me donner un coup de main, puis il se prend pour mon père, et finalement il traite celui-ci de fée alors qu'il affirme le connaître. J'ai commencé à regretter de lui avoir posé une question. Ce n'était peut-être pas un des dix criminels les plus recherchés au Canada, mais il pouvait s'agir d'un évadé de l'hôpital psychiatrique. Il n'existe pas de site publiant les photos de ces fugueurs.

— Et donc, tu es ce fameux Ludovic dont il chante les talents de mathématicien sur tous les toits! a continué l'énergumène. Enchanté de faire ta connaissance!

J'ai ignoré la main tendue. J'ai sérieusement songé à prendre la fuite. Voir si mon père chante sur les toits!

De nouveau, il a fait «Hum... Hum...» avant de ramener sa main vers lui et de poursuivre:

— J'avais pourtant cru comprendre que ton frère était un as de l'informatique... C'est du moins ce qu'avait laissé entendre ton père. Et tu me dis qu'il n'a même pas d'ordinateur. Il doit utiliser le PC familial, alors...

— Michaël possède deux ordinateurs.

— Mais tu viens d'affirmer le contraire!

— J'ai dit qu'il n'en avait pas un. C'est la vérité: il en a deux.

Le client a gloussé. C'est un mot qui signifie rire, à la manière des poules. Marie-Pier, l'amie de ma mère qui a des champs de lavande à l'île d'Orléans a aussi des poules et un coq. Je ne les ai jamais entendues glousser, mais ça ne veut pas dire qu'elles ne le font pas en mon absence.

— Tu es tout un numéro, toi, dis donc!

— Mon frère aussi dit ça des fois...

Le vieux monsieur m'a regardé avec un air que madame Claudine qualifierait probablement de gentil. Il a souri de nouveau.

— Bon, bon... On cherche donc un magazine d'informatique pour un jeune homme qui s'y connaît en la matière...

Il a examiné le présentoir, a tiré un magazine, l'a feuilleté, puis l'a remis à sa place. Il a répété l'opération trois fois avant de trouver ce qu'il voulait. Il m'a tendu la revue. J'ai plutôt pris l'exemplaire qui se cachait juste dessous dans la pile. Je n'avais pas du tout envie de toucher celui que le vieux monsieur venait de manipuler. À cause des risques d'infection. D'ailleurs, il s'est encore gratté la joue, ce qui m'a confirmé que j'avais été sage de choisir un autre exemplaire. Puis, il a déclaré:

— Tu fais bien de prendre celui du dessous. Comme ça, tu es sûr qu'il n'aura aucune page écornée. Les gens ne font pas toujours attention quand ils consultent des magazines qu'ils n'achètent pas.

Ce n'était pas la raison de mon geste, mais comme il ne me posait pas de question, je n'ai pas parlé. Sauf pour le remercier de son aide. Puis je suis passé à la caisse payer mon achat.

Pour finir, j'ai choisi les cadeaux de mes parents. Il était évident qu'ils avaient préparé leur liste ensemble. Ils me suggéraient tous les deux de leur acheter une tasse pour boire leur café. Ils me laissaient le choix de la couleur et du modèle. *Ce sera ça la surprise*, avaient-ils inscrit au bas du bout de papier qu'ils m'avaient remis. Dans la boutique où je me suis rendu, il y avait un pan de mur entier rempli de tasses à café. J'ai mis douze minutes à les examiner une par une. À la fin, j'hésitais entre un modèle décoré d'un bonhomme sourire très souriant, mais jaune, et un modèle où était écrit le nom de la personne à qui était destinée la tasse. J'ai raisonné que d'avoir deux tasses identiques porterait à confusion. Ma mère pourrait utiliser celle de mon père par erreur et vice-versa. De plus, la couleur jaune ne me plaît pas. Elle me donne un peu la nausée. Pas autant que la couleur brune, mais reste que ce n'est pas une couleur que j'aime regarder. Et comme mes parents boivent du café tous les matins, j'aurais à regarder leurs tasses trois cent soixante-cinq jours par année, trois cent soixante-six les années bissextiles. J'ai donc choisi une tasse sur laquelle il y avait «Maman» écrit en rose, et une deuxième tasse sur laquelle il y avait «Papa» écrit en bleu.

Lorsque j'ai réglé mes achats à la caisse, la vendeuse m'a demandé s'il s'agissait d'un cadeau. J'ai eu envie de lui expliquer qu'il était parfaitement illogique de croire que je pourrais acheter ces tasses pour mon usage personnel. Mais juste avant de parler, je me suis souvenu de madame Claudine et du fait que, selon elle, toute vérité n'est pas toujours bonne à dire. Je ne sais pas pourquoi, mais je m'en suis souvenu à ce moment précis. Je me suis donc contenté de répondre à la caissière.

— Oui, c'est un cadeau pour mon père et pour ma mère.

— Que je suis bête! a-t-elle fait en tournant les tasses pour en lire les inscriptions. Évidemment que c'est un cadeau! Comme si tu pouvais acheter ça pour toi...

J'étais heureux qu'elle s'en rende compte.

— Aimerais-tu que je te prépare des paquets-cadeaux?

Comme j'ignorais de quoi il s'agissait, je lui ai demandé des précisions. Après, j'ai dit que oui, je voulais bien des paquets-cadeaux, de préférence avec du papier vert, blanc ou orange.

— Tes désirs sont des ordres! a-t-elle déclaré en riant.

Elle s'est appliquée pendant cinq minutes et, à la fin, elle m'a tendu deux sacs verts avec des rubans frisottés orange, verts et blancs et des feuilles de papier de soie blanc pliées en éventail qui dépassaient du sac.

— Regarde, j'ai écrit un petit m sur ce sac. De cette manière, tu sauras que c'est celui qui contient le cadeau pour ta maman.

J'ai songé que c'était un bon truc.

Ensuite, j'ai sorti de mon sac à dos la fausse couronne dorée avec ses six fausses pierres précieuses pour Pénélope et le magazine d'informatique pour Michaël et j'ai demandé à la vendeuse si elle pouvait faire des paquets-cadeaux pour eux aussi.

— Pas besoin de mettre d'indices sur les sacs, cette fois. Je les reconnaîtrai à leur poids et à leur forme.

La vendeuse a regardé partout autour d'elle.

— Normalement, je suis supposée n'emballer que les cadeaux achetés ici... a-t-elle murmuré.

Je n'ai pas compris. C'était un oui ou c'était un non?

— Mais c'est tranquille en ce moment et la patronne n'est pas là! Alors d'accord! Je vais faire ça pour toi!

J'étais content parce que c'était oui et que ses paquets-cadeaux étaient vraiment beaux.

Elle a préparé les deux paquets.

Je l'ai remerciée en la regardant dans les yeux et je suis rentré chez moi.

Le soir de Noël, papy Philémon était avec nous. Je n'avais pas de cadeau pour lui. Personne ne m'avait averti de sa visite. Mon visage est devenu chaud et mes bras ont commencé à se balancer. Pénélope a dit que je faisais encore l'oiseau et qu'elle n'aimait pas ça. Maman m'a emmené dans la cuisine et on a mis de l'ordre dans l'étagère des contenants en plastique. À la fin, tout était parfaitement bien organisé, du plus petit au plus grand, les couvercles à part et empilés par taille. Mon visage avait retrouvé une bonne température. Je me suis versé cent vingt-cinq millilitres de lait. Après les avoir bus, tout allait bien. Je suis retourné dans le salon avec maman. Papy m'a assuré que ce n'était pas grave que je n'aie pas de présent pour lui, que son cadeau c'était de passer la soirée avec nous. Les gens ne disent pas toujours la vérité, mais en général papy est honnête. Et puis, il souriait beaucoup ce soir-là. J'ai donc décidé de le croire. Maman, papa, Michaël et Pénélope m'ont tous affirmé que je leur avais donné de magnifiques cadeaux et je sais que les emballages étaient très réussis.

Juste avant d'aller me coucher, mon père m'a offert un dernier paquet enveloppé dans du papier vert avec un chou de ruban blanc. C'était un petit chien en peluche.

— Je veux que tu fasses comme s'il s'agissait d'un vrai de vrai petit chien, Ludovic, a-t-il déclaré alors que je tenais le jouet par les oreilles. Et pour commencer, on ne prend pas un animal par les oreilles ou par la queue. Tu le sais bien.

En effet, je le savais. Mais ce n'était qu'un objet. Je ne comprenais pas ce drôle de cadeau et je ne saisissais pas ce que mon père attendait de moi.

— Habitue-toi à le prendre comme il faut et à le traiter avec douceur, a-t-il poursuivi. Et si ça se passe bien, pour ta fête, tu auras un véritable petit chien. Il sera juste à toi.

— Vraiment?

Mon cœur battait plus vite qu'à l'habitude.

— Vraiment. J'ai un client dont la golden retriever a eu une portée récemment. Les chiots sont mignons comme tout. Je lui en ai réservé un pour toi. Au mois de mars, ce petit sera prêt à venir habiter chez nous. Est-ce que ça te plairait?

— Oui.

— Seulement oui ou oui beaucoup?

J'ai réfléchi avant de répondre.

— Oui beaucoup.

— Alors, «tope là»!

On a fait «tope là» sans se toucher. J'ai pris le toutou en peluche dans le creux de mes bras comme s'il était vrai. Je suis allé me coucher.

✳

Chapitre 19

Depuis que j'ai quitté l'école primaire, il y a deux ans et demi, Ludovic se débrouille couci-couça. Plutôt couça que couci, à mon avis. Les matières scolaires ne sont pas un problème. Il a même une réputation de *nerd*. C'est dommage, car ça contribue à sa mise à l'écart. Pour tout le reste, c'est aussi la catastrophe. Avec sa franchise absolue, il finit par agacer tout le monde, y compris les professeurs qu'il ne se gêne pas pour reprendre s'ils font la moindre erreur. Que voulez-vous, il n'a pas de filtre et est tellement honnête qu'il en semble impoli. Si les élèves de sa classe rient de bon cœur quand Ludovic s'en prend aux enseignants, ils rient moins quand ils sont eux-mêmes ciblés par mon frère. Évidemment, Ludovic ne met pas de gants blancs pour critiquer les raisonnements trop pauvres et les connaissances limitées de certaines des personnes qui l'entourent. Si, au moins, il était bon en sport, ça compenserait un peu. Mais on ne peut pas attendre de miracles de la part d'un garçon qui, à dix ans, a encore du mal à boutonner ses chemises et à attacher ses lacets comme il faut. La coordination et la motricité fine ne sont pas son fort. Reste qu'on lui pardonnerait peut-être cette gaucherie s'il faisait preuve d'un certain esprit d'équipe. Hélas, ce concept est tout à fait étranger à mon jeune frère. Pourtant, ce n'est pas faute d'essayer.

Une fois, je l'ai vu, de loin, alors que sa classe d'éducation physique disputait un match de soccer. J'avais congé ce jour-là et je me baladais en vélo avec mes amis dans le coin de notre ancienne école. Nous nous étions arrêtés un instant pour savourer notre liberté aux abords de la cour grillagée de l'école primaire. J'ai reconnu Ludovic à quelques mètres. Il ne m'a pas remarqué. Il portait un dossard jaune comme la moitié de sa classe ; l'autre moitié étant en vert. Ce simple choix de couleur devait le mortifier… Il était sur le banc avec ses coéquipiers quand l'équipe des verts a marqué. Tous les verts ont sauté sur leurs pieds et hurlé de joie. Ludovic s'est joint à eux. Deux joueurs jaunes l'ont poussé rudement du coude et lui ont ordonné de se rasseoir et de la fermer. Désemparé, mon frère s'est mis à se balancer d'avant en arrière, les mains remontées sur les oreilles pour empêcher les insultes d'entrer dans sa tête. Peut-être avait-il pris pour les verts par amour pour cette couleur ; ou peut-être n'avait-il rien compris au jeu, se contentant d'applaudir comme les autres, perdu dans ce scénario impénétrable.

Des incidents de ce genre sont courants pour mon frère. Et si un élève particulièrement généreux arrive à passer par-dessus sa bizarrerie et s'offre pour jouer avec lui, c'est un échec lamentable. Ludovic soumet son entourage à tant de règles qu'il essouffle tout le monde. Bien sûr, le but de mon frère n'est pas de contrôler l'autre et d'être reconnu comme le maître, mais seulement de rendre le jeu prévisible et compréhensible. N'empêche, il passe pour capricieux et tyrannique et finit par se retrouver toujours seul. Pourtant, la réalité est tout autre : mon frère n'est pas une personne difficile, mais bien une personne qui a d'énormes difficultés. Le monde dans lequel nous vivons tous sans trop y penser et auquel nous nous adaptons spontanément sans nous poser cent millions de questions, est un monde trop bruyant pour lui, trop éclairé, insaisissable. C'est un univers inintelligible et quand il croit en avoir percé un mystère, il tient à son explication comme un chien affamé à son os… D'où une rigidité qui use la bonne volonté de la plupart des gens.

Il me fait un peu penser à Jérôme, le grand frère de Nicolas, mon meilleur ami. De dix ans notre aîné, Jérôme est militaire et il a combattu en Afghanistan. Il est revenu avec tous ses morceaux en dehors, mais tout déconstruit en dedans. Des fois, il me fait peur. D'ailleurs, je ne veux plus voyager en voiture avec lui au volant. Il conduit au milieu de la route, sur la ligne jaune ; c'est terrifiant. Il ne se rabat sur sa voie que s'il y est obligé parce qu'une voiture arrive en sens inverse, par exemple. Et une fois cette autre voiture passée, c'est automatique, il se remet au milieu. Il donne des coups de volant inattendus pour éviter les bouches d'égout, il dégouline de sueur quand il aperçoit des détritus au bord du chemin ou qu'il doit traverser un ponceau. Pour lui, tout est dangereux, comme en Afghanistan. Il voit des engins explosifs improvisés partout. La banlieue est un champ de mines antipersonnel à travers lequel il lui faut se déplacer sans se faire tuer. Aussi, s'il découvre un trajet qui lui semble sécuritaire, il l'empruntera à répétition, même si cela l'oblige à des détours inouïs. À sa manière, Ludovic vit comme un rescapé de la guerre du quotidien : agressé par toutes sortes de choses insignifiantes aux yeux des autres, les nerfs à vif, il survit d'un imprévu à l'autre comme à des tirs de mortier. Si on lui présente une règle comme bouclier, il ne la lâche plus.

Je parle de Ludovic comme s'il n'avait que des mauvais côtés. Ce n'est pourtant pas le cas. Il n'y a pas un gramme de méchanceté en lui et si on comprend sa façon d'être et qu'on n'exige pas de lui l'impossible, c'est un compagnon tranquille, qui se satisfait de peu, auprès duquel on peut se reposer. Parfois, quand on fait nos devoirs chacun dans notre chambre, je fais appel à ses connaissances encyclopédiques. Au lieu de lancer une recherche sur Google, je lance plutôt une question à mon savant de frère.

— Ludovic! C'est quoi la capitale du Soudan?

Et lui de répondre sans même réfléchir:

— Khartoum.

— Et celle du Burkina Faso?

— Ouagadougou.

J'ai beau savoir qu'il ne ment jamais, j'avoue avoir vérifié sur le Net que Ouagadougou n'était pas une invention.

— Comment tu t'y prends pour retenir ces mots? lui ai-je demandé à quelques occasions.

— Je les vois dans ma tête.

— Explique-moi encore...

J'avais déjà eu réponse à cette question des zilliards de fois, un chiffre que Ludovic déteste parce qu'il n'existe pas, mais mon frère ne se lasse pas de me la donner, ni moi de l'entendre.

— J'ai regardé une encyclopédie à la bibliothèque de l'école. Sur une double page, il y avait la liste des pays d'Afrique et leurs capitales. J'ai juste à la retrouver dans mes souvenirs et à la parcourir. Comme avec un DVD : j'avance, je recule, je retrouve la bonne scène et je trouve la bonne information.

— Tu vois la page comme si elle était sous tes yeux ?

— Oui.

— C'est fantastique !

Ludovic ne répond pas à mes exclamations. Il ne se rend pas compte que tout le monde n'a pas l'esprit comme un disque dur qu'on peut consulter à loisir. Pour lui, il n'y a strictement rien d'extraordinaire dans le fait d'avoir une mémoire aussi prodigieuse.

Mon frère est également incollable sur les sujets qui le passionnent. Incollable et intarissable. Quand on l'interroge sur sa passion du moment, il faut souvent l'écouter durant de longues minutes sans véritable possibilité d'échange. Avec sa psychologue, il a appris à poser des questions à ses interlocuteurs, mais le cœur n'y est pas. Ce qu'il aime par-dessus tout, c'est réciter ce qu'il sait sur un sujet.

Et puis, il faut le voir faire un casse-tête. Même les puzzles de mille morceaux paraissent un jeu d'enfant pour lui. On en a fait un très corsé la semaine dernière : une tempête sur la mer. Ciel gris, vagues grises, pas un pixel de rouge ou de jaune pour nous aider à nous y retrouver... De quoi s'arracher les cheveux. Mais pas pour Ludovic. Alors que je peinais à trouver les pièces formant la bordure externe, il assemblait déjà des morceaux, sans se soucier du sens de l'image. Sur mille pièces, il en a probablement placé plus de neuf cents pendant que je me démenais de mon côté. Non vraiment, Ludovic n'a pas la tête organisée comme la mienne. Il est doté d'une intelligence originale, rien qu'à lui. Ça ne m'étonnerait pas qu'un jour il fasse des découvertes sensationnelles.

Je ne sais pas si c'est vrai, mais j'ai déjà lu quelque part qu'Albert Einstein et Bill Gates étaient des personnes atteintes du syndrome d'Asperger. J'aime à croire que oui. Et j'aime penser que les gens qui sortent du rang voient autre chose de la vie que le dos de ceux qui les précèdent. Une perspective qui leur permet d'être créatifs à leur façon pour le bien de tous.

Après les deux semaines de congé de Noël et du jour de l'An, je suis retourné à l'école. Avant de partir, j'ai caressé la tête de mon petit chien en peluche pour me pratiquer comme me l'avait demandé papa. J'ai très envie d'avoir un vrai chien et je veux prouver à mon père qu'il peut me faire confiance. En tant que vétérinaire, papa doit donner le bon exemple et il n'est pas question qu'un animal

137

soit maltraité chez lui. Je le comprends très bien et j'ai l'intention de le rassurer totalement. J'ai même préparé un panier que j'ai déposé dans la cuisine et qui sert de lit à mon toutou pendant la journée. Pénélope y a déposé une couverture, «pour que ce soit tout doux», a-t-elle déclaré. Je n'aurais pas pensé à ça.

Après la journée en classe, j'ai retrouvé mes amis secrets. Ils m'attendaient au même endroit que d'habitude, derrière le dépanneur voisin de l'école.

— Salut, l'Asperge! Passé de belles vacances? m'a demandé William Grenon.

— Je ne m'appelle pas l'Asperge. Mon nom, c'est Ludovic Gauthier, lui ai-je rappelé.

— Ben oui, je le sais. Je dis l'Asperge pour être gentil. Les amis, ça se donne souvent des surnoms. Tu vois, moi par exemple, mes amis m'appellent Bill. Pas vrai, Kev? a-t-il fait en s'adressant à mon autre ami secret qui se tenait juste à côté de lui.

— Absolument, a acquiescé celui-ci. Et pour lui, là, a ajouté Kevin Turcotte en indiquant mon troisième copain, on dit toujours Nico alors que son prénom, c'est Yannick.

William a tendu les bras en l'air avant de les rabattre subitement sur ses cuisses. Le bruit de ses mitaines de cuir claquant sur son pantalon de nylon m'a écorché les oreilles.

— Eh bien voilà! Tout est clair maintenant. Je t'appelle l'Asperge parce que je t'aime bien! Hein, les gars, qu'on l'aime bien notre Asperge?

Les deux autres ont ri très fort. Mes oreilles ont été encore plus écorchées.

— Tu dis rien, l'Asperge? Le chat t'a mangé la langue? Pourtant, d'habitude, les chats n'aiment pas les légumes.

Je n'ai pas répondu. Mon père ne m'a jamais mentionné l'existence de chats mangeurs de langues ou de légumes. Ce devait donc être une de ces expressions supposément amusantes dont la signification me dépasse. Ce ne serait pas la première fois : William Grenon, Kevin Turcotte et Yannick Lachapelle étaient peut-être mes amis, mais ils étaient aussi des grands de sixième année et je comprenais rarement leurs blagues. J'étais sans doute trop jeune.

— On a un cadeau de Noël pour toi, a déclaré William en me remettant un bonbon enveloppé dans du papier métallique vert. Ta couleur préférée en plus! Tu ne pourras pas dire qu'on n'est pas fins!

J'ai pris le bonbon en regardant William dans les yeux et en le remerciant.

— Et toi, a lancé William, tu n'as pas de cadeaux pour nous?

— Non.

— Tu es un drôle d'ami...

139

— Je n'avais pas prévu que vous me feriez un présent ni que je devrais en avoir pour vous. Personne ne m'avait averti, ai-je expliqué.

— On n'en fera pas toute une histoire... T'inquiète pas, l'Asperge. T'es notre ami quand même. T'as juste à nous donner le montant habituel et on passe l'éponge.

D'abord, un chat qui mange des langues et possiblement des légumes, et maintenant une éponge à passer. William faisait-il exprès pour me perturber? Pourquoi ne parlait-il pas simplement?

Comme je gardais le silence, il a insisté.

— Tu as nos quinze dollars?

— Non.

— Comment ça, non? On a une entente! Nous, on est tes amis, et toi, tu nous donnes quinze dollars par semaine. C'est pourtant clair? Trouvez-vous ça clair, vous, les gars?

Yannick Lachapelle et Kevin Turcotte ont répondu en même temps :

— Oui! Très clair!

— Ben là, l'Asperge, ça va mal. T'es pourtant super intelligent à ce qu'on raconte...

J'étais de plus en plus perdu. La bouche de William souriait, mais pas ses yeux. En plus, de sa main droite, il tapait dans sa mitaine gauche. Il ressemblait à un boxeur s'échauffant avant un combat. Sa bouche, ses yeux et ses mains parlaient dans trois directions différentes.

140

J'aurais aimé que madame Claudine soit là pour m'aider à traduire tout ça.

— Je vais te redire ça autrement, l'Asperge: tu t'es engagé à nous remettre quinze dollars chaque semaine. C'est une sorte de contrat. Il faut que tu le respectes. Les amis respectent toujours leurs promesses. Sinon, ce ne sont plus des amis.

— D'habitude, je vous donne l'argent le vendredi, le jour de la paye. Aujourd'hui, on est lundi. Je n'ai pas fini ma semaine de travail à la bibliothèque. Je serai payé vendredi, comme d'habitude. Et alors je vous donnerai les quinze dollars. Vous êtes en avance.

— C'est qu'il a raison notre ami l'Asperge, a affirmé William. On va patienter jusqu'à vendredi.

— Pas si vite que ça! s'est exclamé Yannick. Ses parents sont riches! Son père est vétérinaire et sa mère a un magasin. Ils ont un immeuble de plusieurs étages. Ils lui ont sûrement donné de l'argent à Noël! Je suis certain qu'il peut nous payer nos trente dollars sans problème.

— Trente dollars? a répété Kevin. On n'avait pas dit quinze?

— Idiot! On a été en vacances deux semaines, non? L'Asperge nous doit donc deux fois quinze dollars.

— Ah oui... Vu de même...

— Ben oui, vu de même...

— Dis donc, l'Asperge, ce ne serait pas vrai ce que vient de dire Yannick? T'aurais pas eu de l'argent à Noël? Comment ça se fait que tu ne peux pas nous payer?

Avec toutes ces négations, les questions de William manquaient de clarté. Reste que je saisissais l'essentiel. Leurs calculs étaient exacts. En fait, si on ajoutait cette semaine de rentrée, je leur devais quarante-cinq dollars. Mais je n'avais pas eu d'argent à Noël et j'avais déjà donné à William, Kevin et Yannick tout ce que madame Gisèle m'avait versé comme salaire depuis le début de l'année. Il avait même fallu que j'emprunte à mon frère les sommes nécessaires à l'achat des présents donnés à ma famille. J'ai tenté d'exposer le tout à mes amis.

— Pour Noël, j'ai eu: une paire de bas orange, une paire de bas verts, une paire de bas blancs, un drapeau de l'Irlande, un drapeau de la Côte d'Ivoire, une réplique de l'Orient-Express, un jeu vidéo de course automobile pour ma 2DS, une ammonite et un petit chien en peluche en attendant d'en avoir un vrai.

— Pas d'argent?

— Pas d'argent.

— Ben dis donc... Ils sont nuls tes cadeaux, a dit Kevin Turcotte en plissant le nez comme si ça sentait mauvais.

— Sauf pour le jeu vidéo, l'a corrigé Yannick Lachapelle. Ça, c'est vraiment un beau cadeau. Ce ne serait pas mes parents qui m'en auraient donné un... Ils sont tellement gratteux.

Ses parents devaient avoir un problème dermatologique. Mon père a une crème pour ça. Il m'en a mis une fois alors que j'avais marché dans de l'herbe à puces. Elle était très efficace. J'avais tout à fait arrêté de me gratter. J'allais la proposer à Yannick pour ses parents gratteux, même si je ne devinais pas le lien entre une éruption cutanée et l'absence de jeu vidéo, mais William a parlé avant moi.

— Bon, alors qu'est-ce qu'on fait?

— Il n'a qu'à nous prêter son jeu vidéo et sa 2DS. On lui rendra le tout quand il nous aura payés.

— Bonne idée! D'accord, l'Asperge?

— D'accord quoi?

— Tu nous prêtes ton jeu de course automobile et ta 2DS jusqu'à vendredi. On te redonnera tout ça en échange de nos quinze dollars.

— Quinze dollars?

— Ben oui, on n'est pas des rats quand même. Tu avais bien le droit de prendre des vacances. Qu'est-ce que tu en dis?

— Je ne sais pas.

Je n'aimais pas l'idée que mon nouveau jeu et ma 2DS sortent de ma chambre.

— Écoute, on est tes amis, oui ou non?

— Oui.

— Alors, il n'y a pas de problème. Tu peux nous faire confiance. On fera très attention à tes affaires. Demain, tu nous apportes ce qu'on a demandé; vendredi, tu nous remets notre argent et nous, on te rend tes trucs. Et on reste bons amis. D'accord?

Je voulais garder mes trois amis. Ils étaient les seuls que j'avais. J'ai donc accepté.

— En attendant, j'ai une petite faim, moi, s'est plaint Yannick.

— Moi aussi, a fait William. Et pas un sou pour acheter quoi que ce soit au dépanneur.

— T'aurais pas quelque chose à manger, l'Asperge? a demandé Kevin.

Il me restait une clémentine. Je l'ai proposée à mes amis.

— Non merci. J'aime pas trop les fruits. T'aurais pas du chocolat à la place?

— Je ne mange pas de chocolat.

— Et pourquoi pas? T'es allergique?

— Non. Mais le chocolat, c'est brun, et je déteste cette couleur. Je n'aime pas le jaune non plus.

Mes trois amis ont ri en se tapant les cuisses.

— Tu es trop drôle, l'Asperge!

— Pour ta punition, tu vas aller nous chercher une grosse tablette de chocolat au dépanneur.

Je ne voyais pas pourquoi je méritais une punition. Je l'ai dit.

— Ben non, c'est pas une punition! a rectifié William. Juste un jeu pour que tu nous prouves que tu es vraiment notre ami. Nous trois, on va occuper le caissier et pendant ce temps, tu prends la plus grosse barre de chocolat que tu peux et tu la mets dans ta poche, sans te faire remarquer. Puis, tu sors comme si de rien n'était, on te rejoint et tu nous la donnes. Nous, le chocolat, on adore!

— Ça s'appelle voler, ai-je déclaré. Et voler, c'est contre la loi. On peut aller en prison pour ça.

— Que tu peux être lent quand tu veux! s'est esclaffé Yannick. On ne va pas la voler! On fait juste ça pour voir si tu es vraiment de notre bande. Courageux comme nous. Aussitôt que tu seras sorti, on la paiera, la tablette de chocolat!

— William vient de dire qu'il n'a pas un sou. Comment fera-t-il pour payer?

— Je m'en occuperai, a fait Yannick.

J'hésitais quand même.

— Les vrais amis sont prêts à prendre des risques les uns pour les autres, l'Asperge. Tu sais ça, non? m'a demandé William.

Il se trouve que, pendant les vacances de Noël, Michaël, mon père et moi avions regardé un documentaire sur la Deuxième Guerre mondiale. De vieux messieurs y témoignaient de l'héroïsme de leurs frères d'armes. «Il a risqué sa vie pour moi!» déclarait l'un. «Ça,

C'est un véritable ami!» affirmait l'autre. J'ai ainsi compris que William disait la vérité.

J'ai fait ce qu'ils voulaient. Tout s'est bien déroulé. Ils ont partagé le chocolat.

Yannick a voulu me taper sur l'épaule en partant. J'ai reculé juste à temps.

Le vendredi, je leur ai donné les quinze dollars que j'avais gagnés en aidant la bibliothécaire tous les midis. Ils ont oublié de rapporter mon jeu de course automobile et ma console. Ils ont promis de s'en occuper dès la semaine suivante. Mais ils ont encore oublié. Là, ça fait quatre semaines et trois jours qu'ils ont mon jeu. Je me sens ☹. Ils ne respectent pas la promesse qu'ils m'ont faite. Et si les amis respectent leurs promesses, ça signifie que William Grenon, Yannick Lachapelle et Kevin Turcotte ne sont pas mes amis.

✳

Chapitre 23

J'ai des idées de meurtre quand je lis ce passage. Un passage que Ludovic a conservé des semaines entières dans son ordinateur, caché, parce qu'il y nommait ses amis secrets et qu'il avait l'impression qu'il les trahirait en me transférant ce fichier. Même quand il a commencé à se poser des questions et à douter de leur sincérité.

Ces trois petites crapules abusaient de sa naïveté et j'aurais envie de leur rentrer leur méchanceté dans la gorge. À grands coups de poing. Mon frère est une proie facile pour ce genre d'individus sans morale. Il croit les gens sur parole. Il ne détecte pas les sarcasmes ni les moqueries. Il ne lit pas entre les lignes. Il ne ment jamais et ne peut concevoir qu'on lui mente. Si quelqu'un lui sourit – sans trop montrer les dents, quand même! – ou lui dit quelques mots gentils, Ludovic en conclut qu'il s'agit d'un ami. Il ne sait pas faire la différence entre les gens qui sont aimables avec lui parce qu'ils y sont obligés, comme la caissière du dépanneur ou le brigadier scolaire, et ceux qui souhaitent vraiment faire sa connaissance. Il est incapable de flairer l'hypocrisie.

Malgré son intelligence indéniable, il reste a *stranger in a strange land*[3], comme on dit... Tel un acteur, il apprend à maîtriser certaines scènes de la vie de tous les jours. Il répète par cœur le bon geste et la bonne réplique. Néanmoins, il demeure vulnérable. J'ai peur pour lui. Vraiment peur. Je redoute les intentions de ceux que la vie mettra sur son chemin. Car, malgré les apparences, Ludovic n'est pas indifférent aux autres. En fait, il a très envie d'avoir des amis, mais ne sait pas comment s'y prendre. Il met les autres mal à l'aise par ses excentricités dont il n'a même pas conscience. On se tient loin de lui et il en souffre. Dans ce contexte, s'il parvient à déceler un pseudo-désir de rapprochement, il devient imprudent.

Au début de février, mes parents ont reçu un appel téléphonique tout à fait inattendu et la vérité a éclaté au grand jour. Ludovic s'était mis dans le pétrin. Sérieusement.

---

3. Cette réflexion, attribuée à Moïse, est entrée dans la culture populaire à la suite de nombreux écrits, romans, poésies et chansons. Elle signifie «un étranger sur une terre étrange».

✳

Aujourd'hui, la journée avait pourtant bien commencé. Une petite neige tombait et le thermomètre indiquait moins quinze degrés Celsius, annulant tout risque d'averse de clous. J'avais enfilé mes nouveaux bas verts et ça me faisait plaisir de les apercevoir chaque fois que je baissais la tête et que je remontais un peu les jambes de mon pantalon. Pour le déjeuner, j'avais bu cent vingt-cinq millilitres de jus d'orange et de mangue, et j'avais mangé une salade de fruits composée de clémentines, de pêches et de kiwis. Pour qu'il y ait aussi du blanc, ma troisième couleur préférée, maman avait ajouté cinquante millilitres de yaourt à la vanille. En plus d'être très joli, c'était très bon. J'étais sûr que ce serait une belle journée. Je ne pouvais pas du tout me douter de la catastrophe qui allait se produire à seize heures dix.

Mes amis secrets m'avaient fixé rendez-vous à l'endroit habituel, après la fin des classes. Enfin, ils m'ont redonné mon jeu vidéo et ma console. La bonne journée se poursuivait. À la demande de William, Yannick s'est même excusé d'avoir tant tardé à me rendre mes affaires. Puis je leur ai remis les quinze dollars prévus au contrat.

— Les bons comptes font les bons amis! a déclaré Kevin. Merci, l'Asperge! T'es un vrai de vrai!

— Et si on fêtait ça avec un peu de chocolat? a suggéré Yannick.

— L'Asperge n'aime pas le chocolat, a rappelé William.

— Peut-être qu'il n'aime pas ça, mais en tout cas, c'est un champion pour en sortir en douce du dépanneur. Hein que t'es un champion, l'Asperge?

Ce n'était pas réellement une question. Je n'ai pas dit un mot.

— On y va? a fait Yannick en se léchant les lèvres. J'ai vraiment le goût d'une tablette. Tu essaieras de la prendre plus grosse cette fois, l'Asperge. La semaine passée, elle était trop petite.

J'avais envie de lui demander pourquoi il ne la choisissait pas lui-même puisque, de toute façon, c'était lui qui la payait au bout du compte. Au moins, il serait sûr d'avoir quelque chose à son goût. Mais j'ai pensé à madame Claudine qui répète souvent que l'amitié est fragile et qu'il faut y faire attention. Quand elle dit ça, je vois les ailes de mes papillons de collection, si délicates qu'un souffle trop fort peut les réduire en poussière. J'ai songé que ma question briserait peut-être notre amitié. Je ne l'ai pas posée.

Une fois dans le dépanneur, William, Kevin et Yannick se sont placés devant le caissier et ont commencé à lui parler. On appelle ça faire diversion. Pendant ce temps, je me suis glissé dans une allée et j'ai pris la plus grosse tablette de chocolat qu'il y avait. Une *Toblerone* de quatre cents grammes. Elle était trop longue et elle dépassait de ma poche. J'ai collé mon bras sur le côté pour la cacher. Je me suis dirigé vers la sortie. J'avais baissé la tête pour ne pas me faire remarquer, l'idée étant de démontrer, encore une fois, ma capacité à sortir du magasin sans que le vendeur m'arrête, après quoi mes amis iraient payer la tablette. Mais alors que je poussais la porte, une voix a retenti.

— Hé, p'tit gars! Où tu t'en vas comme ça? Tu penses que je ne vois pas ce que tu as mis dans ta poche? Sale petit voleur! Viens ici tout de suite!

Alors que je me tournais pour lui obéir, mes trois amis ont détalé.

Le caissier leur a crié de revenir. Ils ne l'ont pas écouté. Le marchand est venu me rejoindre et il m'a pris par le bras. J'ai tenté de me dégager, mais il a serré plus fort. J'ai essayé de le frapper sur le nez. Je l'ai manqué. Il avait le visage tout rouge et les sourcils très froncés. Il m'a tiré de force derrière le comptoir et il m'a obligé à m'asseoir sur une chaise dure. Il a pris un bâton de baseball et l'a pointé sur moi.

— Si tu bouges, je te frappe.

Mon cœur battait très vite. J'ai commencé à grogner.

— Silence! m'a-t-il ordonné.

J'ai continué à grogner. Je ne pouvais pas m'en empêcher. Il a de nouveau pointé le bâton de baseball sur moi. Il s'est emparé du téléphone et je l'ai vu composer le 911. Il a dit au répondant qu'il venait d'attraper un voleur très agressif et qu'il avait presque été blessé dans l'affaire. Il a demandé qu'on lui envoie la police le plus rapidement possible, les braquages de dépanneurs étant connus pour tourner mal. Puis il a donné l'adresse du magasin. Ma montre indiquait seize heures dix.

Les policiers sont arrivés à seize heures treize dans un grand tapage de sirène. Je me suis bouché les oreilles. Dehors le soleil baissait. Il ferait bientôt sombre. Je n'aimais pas ça. Les gyrophares clignotaient en rouge et en bleu. Il y avait deux policiers, un avec une moustache et l'autre imberbe. Ils braquaient leur révolver quand ils sont entrés dans le magasin. J'ai eu peur qu'ils me tuent. J'ai enlevé mes mains de sur mes oreilles et je les ai levées en l'air.

— Mais ce n'est qu'un enfant! s'est exclamé celui qui avait une moustache, en abaissant son arme.

— Et après? a crié le marchand. Il a voulu me battre! Un peu plus et il me cassait le nez! Je parie qu'il fait partie d'un gang de rue!

— Vous rigolez, j'espère! Il faut arrêter de lire la chronique criminelle, monsieur. Mais qu'est-ce qu'il a à grogner comme ça, votre mafieux à la Passe-Partout? a demandé le deuxième policier, celui qui n'avait pas de moustache. Vous lui avez fait mal?

— Jamais de la vie! Je parie qu'il joue au retardé mental. Pour nous amadouer.

— Et il vous a volé quoi?

— Du chocolat. Et je pense que ce n'est pas la première fois. Il vient souvent ici avec trois autres garçons. À la longue, j'ai trouvé leur manège suspect. Les trois me font la conversation pendant que celui-là se balade dans les allées. Puis, il sort sans rien acheter et les trois autres le suivent quelques secondes plus tard. Aujourd'hui, il a eu les yeux plus grands que la poche. Regardez! On voit la tablette de chocolat qui dépasse. Une Toblerone en plus! Du chocolat suisse! Pourquoi se priver, hein, quand ça ne coûte pas un sou?

— Allons, p'tit gars, tu peux baisser les bras, a dit le policier moustachu. Et tu serais gentil d'arrêter de grogner. C'est stressant à la longue. Puis personne ne va te sauter dessus...

J'étais moi-même trop stressé pour me taire. Je me suis mis à me balancer sur la chaise, j'ai rebouché mes oreilles et j'ai fermé les yeux. J'ai tenté de me calmer en récitant la suite de Fibonacci dans ma tête.

J'allais presque réussir quand j'ai senti deux grosses mains palper mes flancs et se glisser dans mes poches. C'est là que les nombres de Fibonacci ont explosé dans toutes les directions dans ma cervelle. J'ai crié le plus fort que j'ai pu. Je crois que le temps a passé. Je ne sais plus. Toujours est-il que maman est arrivée. Je l'ai d'abord reconnue à son parfum de lavande, parce que j'avais encore les yeux fermés. Papa est arrivé, lui aussi. J'ai arrêté de crier. Il était seize heures quarante-deux. Maman m'a ramené à la maison. Papa est resté au dépanneur avec les policiers et le caissier.

C'est en fouillant dans le sac à dos de Ludovic que les policiers ont découvert nos adresse et numéro de téléphone inscrits dans son agenda scolaire. Heureusement. Je n'ose imaginer combien de temps mon jeune frère aurait hurlé si personne n'avait été capable de contacter nos parents et de les prévenir. Ludovic était en piteux état quand il est revenu à la maison. Il a immédiatement cherché refuge dans sa chambre. Lorsque je suis allé y jeter un coup d'œil une trentaine de minutes plus tard, il était caché sous son lit. En me penchant, j'ai vu qu'il appuyait un vieux radio transistor sur son oreille gauche. Il avait choisi une fréquence sur laquelle aucun poste n'émettait et écoutait la friture. Les paupières closes, mon jeune frère semblait se laisser bercer. Un jour, il m'avait expliqué le bonheur de se perdre dans le bruit blanc, de s'éclipser, que cela le calmait quand ses circuits étaient surchargés. Il en avait bien besoin après le détestable incident du dépanneur. Je suis parti sur la pointe des pieds.

Cette regrettable aventure a révélé l'odieux taxage dont Ludovic était victime et, du même coup, lui a fait perdre les seules personnes qu'il considérait comme ses amis. William Grenon, Yannick Lachapelle et Kevin Turcotte ont été suspendus de l'école une semaine et contraints d'écrire une lettre d'excuses à Ludovic. Elle était à pleurer de banalité, vide de sens et aussi creuse qu'un tambour. Il fut désormais interdit aux trois crapules de fréquenter mon jeune frère et même de lui adresser la parole. Reste que pour eux, cela n'était pas une punition. Quel intérêt auraient-ils eu à le côtoyer maintenant qu'ils ne pouvaient plus abuser de sa naïveté ? Sans chocolat à voler et sans salaire d'aide-bibliothécaire à faucher, Ludovic était, à leurs yeux, bon pour la poubelle. Paradoxalement, c'est donc mon frère qui souffrait le plus de cette sanction. Par chance, après avoir été raillé par les policiers, le propriétaire du dépanneur a renoncé à porter plainte et mes parents n'ont eu qu'à payer le chocolat que personne n'a voulu manger. L'homme a néanmoins installé un système de surveillance par caméra et a banni de son commerce les trois petits bandits trop lâches pour commettre leurs vols eux-mêmes.

Le onze mars approchait. Encore un anniversaire que Ludovic vivrait en solitaire. À part nous, sa famille, personne ne lui donne de carte de vœux à sa fête ; le téléphone sonne quelques fois, les fidèles amies de ma mère se faisant un devoir de parler à Ludovic ce jour-là ; mais aucun copain ne l'appelle pour lui chanter « Bonne fête » en faussant. On n'organise pas non plus de goûter d'anniversaire, Ludovic détestant ce genre de rassemblement. Par ailleurs, on se demande bien qui nous pourrions y inviter... à part madame Claudine et madame Gisèle... J'ai toujours la gorge serrée quand j'y pense.

Mais là, après le désastre du dépanneur, je voulais absolument faire quelque chose. J'étais avec mes amis Nicolas et Charlotte lorsque j'ai eu une illumination. On venait de finir de dîner et comme il faisait froid, on avait décidé de rester à l'intérieur, dans la salle des élèves. Plusieurs autres étudiants avaient eu la même idée et la pièce était bondée. Elle était décorée avec de longues guirlandes de cœurs découpés dans du carton rouge, en prévision de la danse organisée le soir même pour souligner la Saint-Valentin. On a réussi à se dénicher un petit coin tranquille et on s'est laissés tomber sur de gros coussins moelleux. Je regardais mes messages sur ma page Facebook et c'est à ce moment qu'il y a eu une sorte d'étincelle dans mon cerveau. J'ai décrit mon idée à mes amis qui ont trouvé que c'était génial. À peine dix minutes plus tard, on avait déjà élaboré un plan provisoire. On a décidé de participer à la danse de la Saint-Valentin et de profiter de l'occasion pour recruter des alliés. J'étais secrètement bien content d'avoir ce prétexte pour y assister. Ça faisait des jours que je jonglais avec le désir d'y inviter Charlotte, mais je n'osais pas. C'était ma copine, pas ma blonde, et même si j'avais drôlement envie que notre relation passe à un autre niveau, le risque ne me paraissait pas valoir la chandelle. Car si Charlotte en venait à refuser mon invitation, l'embarras serait tel que je perdrais sans doute son amitié. Bref, j'aimais mieux la garder comme copine que de courir le risque de la perdre tout à fait. J'ai toujours eu un courage infini pour affronter mes ennemis et ceux de Ludovic. Mais cette Charlotte me faisait perdre tous mes moyens.

J'ai pris rendez-vous le jour même avec le directeur de la polyvalente pour lui présenter mon projet et obtenir la permission de m'adresser aux élèves pendant la soirée. Je n'ai pas eu besoin de lui tenir un long discours. Après à peine quelques minutes, il avait saisi l'essentiel et il m'a chaleureusement félicité de mon initiative. Il m'a suggéré de préparer aussi une version anglaise de mon projet, pour en augmenter le rayonnement. J'ai trouvé que c'était une très bonne idée et je l'ai remercié. Avant que je sorte de son bureau, il m'a demandé l'autorisation de mettre les autres directeurs d'école de la région au courant de mon projet pour rassembler le plus de participants possible. Évidemment, j'étais ravi de cette offre. Je n'étais pas encore rendu chez sa secrétaire que je l'entendais déjà en grande conversation téléphonique avec un collègue, lui décrivant mon initiative avec un enthousiasme qui m'aurait convaincu moi-même si je n'avais pas été à l'origine du plan en question.

Pendant l'après-midi, j'avoue que j'ai été plutôt distrait, tout absorbé par l'amélioration de la page web que nous avions mise en ligne. J'ai fouillé dans mon répertoire de photos et j'ai choisi les plus sympathiques ; je suis également allé sur le Net pour sélectionner des images portant sur les champs d'intérêt de Ludovic. À la fin, j'étais pas mal fier de la belle page Facebook qui était née par mes bons soins. Je me suis ensuite efforcé de la traduire en anglais. Tant pis pour les cours de mathématiques et de géographie que je n'avais écoutés que d'une demi-oreille, et encore. Je serais obligé d'emprunter les notes de cours d'un autre élève pour m'y retrouver. Mais à la guerre comme à la guerre : dans la vie, il faut savoir établir ses priorités et vivre avec les conséquences de ses choix. J'avais une mission à mener à bien et elle était plus importante que des règles d'algèbre ou des noms de pays. Comme j'aurais aimé être aussi déterminé dans les affaires de cœur…

Je n'apprécie pas particulièrement parler en public. Reste que je me suis fort bien acquitté de ma tâche ce soir-là. Lorsque je suis redescendu de la scène, après ma petite allocution, Charlotte m'a dit que je m'étais montré très convaincant. Ses yeux verts brillaient joliment quand elle a prononcé ces mots. J'ai senti mes joues et mes oreilles devenir très chaudes.

Nicolas a invité une fille de notre classe à danser. Charlotte et moi, on s'est retrouvés tout seuls à une table. Elle faisait tourner sa paille dans son verre de limonade grenadine et elle regardait les autres s'amuser. Juste au moment où j'allais oser lui demander si elle voulait danser avec moi, Samuel Laframboise est arrivé. C'est un garçon très populaire qui réussit à mettre toutes les filles dans sa poche avec ses manières rigolotes. Il s'est penché vers mon amie quasiment comme s'il faisait une révérence et lui a tendu la main :

— Mademoiselle Dumoulin, me ferez-vous l'honneur de m'accorder cette danse ?

Charlotte a éclaté de rire et a sauté sur ses pieds.

— Tu surveilles ma limonade, Michaël, OK ?

J'étais trop frustré pour répondre. La chipie ne s'en est même pas rendu compte, trop contente de se dandiner au bras de ce fichu Samuel. J'ai versé le verre de limonade dans un pot contenant une plante en plastique poussiéreuse et je suis parti sans dire au revoir à personne. Tout le monde s'en foutait de toute façon. Je me sentais comme un rejet total... Ça m'apprendrait à être aussi gêné avec les filles.

Quand je me suis couché, une quarantaine d'internautes avaient déjà consulté nos pages Facebook et avaient indiqué les aimer. J'étais encore trop vexé pour m'en réjouir pleinement. Reste que ça m'a tout de même un peu consolé.

Le lendemain matin, il y avait deux mille «J'aime» sur nos pages. Et une centaine de messages. J'avais un peu le vertige. J'ai envoyé un texto à Nicolas et un autre à Charlotte pour partager la bonne nouvelle. Le temps qu'ils me répondent, nous avions recruté quatre cents fans de plus. Il y avait quelque chose d'exponentiel dans cette progression.

Je me disais qu'il existait sûrement une formule mathématique pour décrire un tel succès. J'aurais aimé poser la question à Ludovic, mais je ne pouvais pas, évidemment. Sinon, j'allais lui gâcher la surprise. Et cette surprise-là, j'étais persuadé qu'il allait l'adorer.

— Pages géniales, succès génial, m'avait répondu Charlotte, toujours par texto. Mais je te cherchais hier, t'étais où?

Tout seul dans ma chambre, j'ai rougi de honte.

— Mal au cœur tout à coup. Obligé de rentrer, ai-je menti.

— Tu vas mieux?

— Oui.

— Samuel est trop biz. Il a essayé de m'embrasser.

— Tu ne voulais pas?

— Berk. Pas du tout. Je voulais juste danser.

Il m'a semblé que je flottais à quelques centimètres du sol.

— J'aurais dû t'inviter.

— Ben oui, gros *tarla*. T'aurais dû.

— La prochaine fois.

— OK. C'est une promesse?

— C'est une promesse.

— Re-génial! Faut que je parte. Cours de violon. À+

— À+

Un sourire idiot aux lèvres, en gros *tarla* que j'étais, je suis retourné sur nos pages Facebook. J'ai regardé les messages s'accumuler. C'était une avalanche.

Chapitre 29

Papa et maman m'ont expliqué que William Grenon, Yannick Lachapelle et Kevin Turcotte n'étaient pas de bons amis pour moi. Je l'avais déjà compris. Les vrais bons amis s'entraident. Eux se sont sauvés et ils m'ont laissé me débrouiller avec le caissier enragé et les policiers armés de révolvers.

Madame Claudine, ma psychologue, veut savoir comment je me sens. C'est difficile pour moi de répondre à cette question. Avec le temps, je me suis rendu compte que la plupart des gens n'ont pas à réfléchir aussi longtemps que moi pour se prononcer sur le sujet. Au pire, ils penchent légèrement la tête sur le côté et plissent un peu les paupières pendant qu'ils y pensent quelques secondes. Puis ils disent qu'ils se sentent déçus, ou vexés, ou inquiets, ou joyeux, ou n'importe quel des dizaines de mots qui existent pour parler des sentiments. On dirait qu'ils sont branchés sur un circuit dont je ne dispose pas. Madame

Claudine affirme que, d'une certaine façon, c'est effectivement le cas. Que les gens non Asperger ressentent les émotions aussi clairement que la douleur physique. Qu'ils perçoivent la tristesse ou la frustration avec la netteté d'une brûlure ou d'une coupure. J'avoue que ça me dépasse. C'est comme si j'étais aveugle ou sourd dans un monde où tous les autres perçoivent les images et les sons en haute définition. Il faut que je fasse des efforts pour isoler mes émotions et, une fois cette étape franchie, il faut aussi que je trouve le mot correspondant. Les émoticônes m'aident un peu. Je passe beaucoup de temps à les étudier avec madame Claudine. On décrit des situations dans lesquelles je me suis déjà retrouvé et on les analyse ensemble. À la fin, je peux généralement reconnaître une émoticône ressemblant à mes sentiments et je dis le mot qu'elle est censée représenter. Depuis l'incident du dépanneur, je suis très ☹. Je crois que le mot juste est «triste». Madame Claudine soutient que c'est parfaitement normal d'être triste, parce que ceux que je croyais mes amis m'ont abandonné à un moment important. Elle dit que ce serait également normal que je me sente trahi. Elle n'a pas trouvé d'émoticône correspondant à ce sentiment cependant et je dois admettre que ce n'est pas très clair pour moi. On s'est donc concentrés sur la tristesse et sur la peur. Parce que j'ai eu très peur quand le commerçant m'a pris par le bras. J'ai eu très peur aussi quand les policiers m'ont visé avec leurs revolvers.

Depuis que c'est arrivé, je fais toujours le même cauchemar. Le policier moustachu me tire dessus. Je vois la balle arriver au ralenti. Je me réveille juste avant qu'elle n'entre directement dans mon cœur. Après, je ne veux plus dormir. J'ai trop peur de refaire le même mauvais rêve. Sur les conseils de maman, j'ai raconté mon cauchemar à ma psychologue. Madame Claudine m'a alors enseigné une technique qui, selon elle, devrait m'aider à ne plus faire ce mauvais rêve. Il faut, paraît-il, que je change la fin de mon cauchemar pendant que je suis réveillé et que je repasse la nouvelle version dans ma tête avant de me coucher; ainsi, la mauvaise version ne reviendra plus. Je ne comprends pas la logique de cette approche. Mais j'en ai vraiment assez de me réveiller en sueur toutes les nuits et je suis d'accord pour essayer. C'est pourquoi madame Claudine et moi avons imaginé un scénario dans lequel je porte un énorme bouclier électromagnétique par-dessus une armure de chevalier qui me recouvre de la tête aux orteils. Le policier me tire dessus, mais la force électromagnétique fait dévier la balle de sa trajectoire et elle va s'écraser dans une dune de sable fin que je fais apparaître comme par magie. Madame Claudine m'a également suggéré de faire porter des souliers à talons aiguilles au policier moustachu pour qu'il perde l'équilibre et qu'il ne soit plus capable de viser avec précision. Après réflexion, j'ai décidé que les escarpins étaient une très mauvaise idée parce que, combinée à la force électromagnétique, la maladresse du policier pourrait conduire à une trajectoire balistique complètement imprévisible et la balle finirait peut-être par m'atteindre malgré tout. Or, il y a de minces ouvertures dans l'armure, à la hauteur des yeux. Une balle perdue pourrait s'y faufiler et me tuer sur le coup. Ma psychologue a trouvé que mon raisonnement était très juste; on a donc conservé la version armure et bouclier sans talons aiguilles et on l'a transcrite sur papier. Dorénavant, je lis cette variante chaque soir avant d'éteindre ma lampe pour la nuit. Ça fait deux semaines que le cauchemar n'est pas revenu. C'est un phénomène mystérieux. Maman et madame Claudine affirment que cela démontre bien tout le pouvoir de l'imagination. J'aimerais vraiment avoir beaucoup d'imagination. Sans ma psychologue, je n'aurais pas su modifier mon mauvais rêve. C'est elle qui a eu toutes les idées. Moi, je ne suis bon qu'avec les chiffres.

Ces temps-ci, je suis tellement 🙁 que même les nombres premiers et la suite de Fibonacci ne me font plus plaisir. Au lieu de porter de beaux habits rouges, les nombres premiers que je vois dans ma tête ont revêtu des uniformes gris et bruns. Je n'ai pas le goût de penser à eux. Je travaille encore à la bibliothèque tous les midis. Il y a toujours des livres à remettre au bon endroit, car les élèves n'obéissent pas à madame Gisèle et continuent de placer les ouvrages n'importe où, au lieu de les laisser sur les tables. La bibliothécaire dit qu'elle apprécie mon aide et que, sans moi, elle n'y arriverait pas. Il y aurait des tas de livres égarés pour l'éternité. J'aimerais ça qu'on me mette à la bonne place, moi aussi, mais pas sur une étagère. Je ne suis pas un livre.

À la fin du mois de février, nos pages Facebook avaient recueilli l'approbation de six cent cinquante mille personnes. De plus, des tas de gens s'étaient donné la peine d'écrire des messages hyper gentils auxquels ils avaient joint des photos, des numérisations de dessins et des liens vers des sites qu'ils jugeaient d'intérêt pour le principal concerné. Cette générosité me chavirait. Au départ, je ne pensais susciter qu'un léger mouvement de sympathie qui proviendrait surtout des étudiants de ma polyvalente et peut-être de quelques-uns de leurs amis. Au mieux, d'autres élèves recrutés par les collègues de notre directeur s'impliqueraient aussi dans le projet. Mais voilà que le phénomène était devenu viral. Des internautes de partout au Canada, des États-Unis et même d'Europe joignaient leur voix et entonnaient un chant de solidarité totalement inattendu. Je soupçonnais papy Philémon d'être le chaînon nous ayant menés de l'autre côté de l'Atlantique. Ses collègues enlumineurs et ses clients d'outre-mer s'étaient fait un plaisir de diffuser notre page et on recevait des commentaires du fin fond de villages dont je découvrais l'existence.

Autant le web peut s'avérer un outil diabolique quand des gens se complaisent à répandre des rumeurs malveillantes sur une malheureuse victime qui n'a rien demandé, autant il peut mettre en lumière les plus beaux côtés des êtres humains. Je me sentais fondre de reconnaissance. Jusque-là, j'avais toujours été étonné de voir ma mère pleurer parfois de joie. Presque autant que Ludovic qui n'arrivait pas à réconcilier les pleurs et les sourires. Mais voilà que, devant mon écran, il m'arrivait de rire aux éclats alors que mes yeux se mouillaient de larmes. Il suffisait que j'entende un bruit de pas s'approchant de ma chambre pour que j'éponge rapidement tout ce débordement, fermant illico la page responsable de ce tsunami d'émotions. Mes parents, que j'avais fini par mettre dans le secret et qui avaient mis leurs propres contacts à contribution, échangeaient des regards entendus quand ils me voyaient apparaître au souper les yeux rougis. Ils m'accueillaient d'un signe de tête complice qui échappait complètement à Ludovic, mais qui exaspérait Pénélope qui pressentait qu'on lui cachait quelque chose. Naturellement, on ne pouvait pas courir le risque de la mettre au parfum de ce qui se tramait. À cinq ans, elle aurait vite fait de vendre la mèche, bien involontairement. Il fallait donc supporter son chagrin d'être gardée à l'écart. Je redoublais donc de «souricette» par-ci et de «princesse» par-là… avec un succès bien mitigé.

J'avais un peu l'impression d'avoir lancé par ma fenêtre un haricot magique qui poussait jour après jour à grande vitesse. Je comprenais soudain comment avait dû se sentir le célèbre Jack quand il s'était éveillé devant un arbre grimpant jusqu'au ciel. Un arbre qui n'était pas là quand il s'était mis au lit la veille. J'espérais seulement qu'un méchant ogre ne m'attendait pas dans le détour. Charlotte me rassurait de son mieux. Toute cette histoire nous avait beaucoup rapprochés tous les deux. J'avais même fait un pari avec le destin : si tout se passait bien d'ici au onze mars, j'oserais demander à ma belle copine aux cheveux de feu de devenir officiellement ma blonde. Cela aussi m'occasionnait des émotions contradictoires : un fol espoir auquel succédait presque instantanément une épouvantable appréhension. Mon cœur ressemblait à un yoyo manipulé par un joueur fou. Il était temps que ce fameux onze mars arrive et que ce soit enfin l'anniversaire de Ludovic. J'avais beau n'avoir que quatorze ans, je n'étais pas du tout certain que je survivrais longtemps à autant d'excitation.

✳

C'est mon anniversaire aujourd'hui. Onze mars, onze ans. Un doublé de nombres premiers. Au début de la journée, ça ne me faisait pas particulièrement plaisir. À cause des uniformes gris et bruns des nombres premiers depuis mon arrestation au dépanneur. Je me sentais 😕. Mais ensuite, il s'est passé de belles choses et là je me sens très content. Pas juste 🙂, mais plutôt 😊, et même plus : 😃. Les nombres premiers ont retrouvé leurs habits rouges flamboyants à travers les autres. Tout ça, c'est grâce à un million huit cent mille six cent vingt-neuf internautes qui ont visité les deux pages Facebook que Michaël a créées pour mon anniversaire et qui ont affirmé les aimer. J'ai reçu cent soixante-sept mille cinq cent quarante-trois messages. Je n'ai pas eu le temps de tous les lire. Si j'estime que pour parcourir chacun d'eux il me faudra en moyenne trente secondes, ça me prendra mille trois cent quatre-vingt-seize virgule dix-neuf heures pour en venir à bout. En ne faisant aucune pause, je mettrai cinquante-huit virgule dix-sept jours pour les lire tous; ce qui est impossible puisqu'il faut s'arrêter pour manger, dormir et aller à l'école, entre autres. Il faut aussi aller aux toilettes, mais je préfère ne pas parler de ça. Je risquerais alors de penser à des choses que je n'aime pas du tout. Et ces chiffres ne sont que des approximations: ils ne tiennent pas compte du fait que je prendrai plus que trente secondes à lire certains messages. Surtout qu'il y en a soixante-dix mille trente-sept en anglais. Il faudra que j'utilise le traducteur de Google. Ces chiffres ne tiennent pas compte non plus du fait que les messages continuent à arriver.

La page Facebook en français s'intitule *Joyeux anniversaire, Ludovic!* Celle en anglais, *Happy Birthday, Ludovic!* Elles comportent des photos de moi avec ma famille, des informations sur la suite de Fibonacci et sur les nombres premiers, une reproduction du drapeau de la Côte d'Ivoire avec ses trois bandes verticales orange, blanche et verte et une du drapeau de l'Irlande avec ses trois bandes verticales verte, blanche et orange. Il y a aussi un court paragraphe dans lequel Michaël parle de moi. Il mentionne que je suis un génie des mathématiques et que j'ai un caractère plutôt original qui me complique un peu la vie quand il est question de me faire des amis. Mais en grosses lettres majuscules, il ajoute que je gagne à être connu.

Mes parents sont contents que j'aie deux belles pages Facebook, toutefois ils m'interdisent de prendre rendez-vous avec ceux qui m'écrivent des messages. J'ai uniquement le droit de communiquer avec ces derniers par courriel et je ne dois divulguer aucun renseignement personnel comme notre adresse postale ou notre numéro de téléphone. De plus, mes parents veulent superviser mes échanges avec les internautes et m'obligent à les consulter avant de mettre quoi que ce soit en ligne. Ils disent que mes récentes expériences avec William Grenon, Yannick Lachapelle et Kevin Turcotte démontrent bien que je fais trop facilement confiance aux autres. Ils ne veulent pas que j'aie de nouveaux ennuis. Ces règles me semblent justes et elles sont très claires. Ça me plaît.

Quelques-uns de mes nouveaux amis m'ont confié qu'ils étaient eux-mêmes Aspie. La première fois que j'ai lu ce mot, j'en ignorais la signification. Mon correspondant m'a expliqué que c'est un terme sympathique que certaines personnes Asperger utilisent pour parler d'elles-mêmes. Une sorte de surnom affectueux. Il a ponctué son message d'un smiley tout joyeux. J'ai remarqué que plusieurs personnes, et pas seulement les Aspies, utilisent les émoticônes dans leurs échanges en ligne. Ça me facilite la vie. Au lieu d'être obligé de déchiffrer les expressions faciales des gens avec qui je discute, je sais tout de suite comment ils se sentent. C'est très pratique. Quand je suis en ligne, on dirait presque que je suis un garçon ordinaire.

J'ai demandé à mes parents la permission avant de publier une photo de moi avec Fuego, le petit golden retriever que mon père m'a donné tel que promis. Sur le cliché, je tiens le chiot dans mes bras, comme un pro, pendant qu'il me lèche la joue avec sa minuscule langue rose toute râpeuse. Je tire la langue moi aussi, tout en souriant. Je parie que bien des gens auront du mal à déchiffrer mon expression. Il n'existe aucune émoticône s'en approchant. Mes parents ont approuvé la publication de la photo.

Ils m'ont aussi donné la permission de mettre en ligne une photo de mon gâteau d'anniversaire avec ses onze bougies allumées. Maman l'a cuisiné pour moi en tenant compte de mes couleurs préférées : il s'agit donc d'un gâteau aux carottes glacé au fromage à la crème auquel elle a ajouté dix gouttes de colorant alimentaire vert. Il était très joli. Et très bon. Et très gros. Papy Philémon et Michaël en ont pris deux fois et il en est quand même resté plus que la moitié, presque les deux tiers en fait. Papa dit que je devrais en donner un morceau à madame Gisèle et un à madame Claudine. C'est une bonne idée.

*

C'est officiel, Charlotte et moi on sort ensemble. Ça m'a pris tout mon petit change pour oser lui demander de devenir ma blonde et elle a accepté sans aucune hésitation. Elle a même ajouté qu'elle commençait à désespérer et qu'elle s'était donné jusqu'à la semaine suivante pour tirer la situation au clair. Si je n'avais pas parlé le premier, elle jure qu'elle aurait pris l'initiative. Des fois, je me dis que j'aurais dû attendre encore un peu. Juste pour le plaisir de l'entendre me bégayer son grand amour pour moi en redoutant que ce ne soit pas réciproque…

L'autre jour, on se croyait seuls au sous-sol et on s'est embrassés. Mais Ludovic était là, dans un coin, des écouteurs sur les oreilles. On s'en est aperçu juste après. Sur le coup, il n'a pas pipé mot. J'ai cru qu'il n'avait rien remarqué. Je me trompais. Au souper, il a déclaré très sérieusement à mes parents que Charlotte et moi on avait eu une prise de bec. Il a fallu qu'il fasse cette annonce de cornichon alors que Charlotte mangeait avec nous pour la deuxième fois seulement. En entendant Ludovic, sa peau de rousse est devenue écarlate. Elle a avalé sa bouchée de travers. Ses yeux émeraude m'ont lancé des éclairs, comme si j'étais à blâmer pour cette étrange déclaration de mon jeune et imprévisible frère. La pauvre ne savait manifestement plus où se mettre. J'aurais dû avoir pitié d'elle, mais la situation était trop comique. Je me suis étouffé de rire pendant que ma mère, inquiète, essayait de percer le mystère de cette prétendue dispute que rien n'avait laissé soupçonner jusque-là. Quand j'ai fini par reprendre mon souffle, j'ai rougi jusqu'au bout de mes oreilles avant de mettre fin au quiproquo. Je me serais bien passé d'avoir une telle explication avec ma mère, devant toute ma famille. Mais c'était quand même trop drôle. Puis, j'ai déclaré à Ludovic qu'il était absolument impayable. À quoi il a évidemment répondu que ça tombait bien puisqu'il n'était pas à vendre.

— Et puis, a-t-il ajouté après un instant de réflexion, même si j'étais à vendre, tu ne serais pas assez riche pour m'acheter.

J'ai eu l'impression qu'il esquissait un vague sourire, comme s'il faisait une blague. J'ai recommencé à rire et je lui ai déclaré que jamais de la vie je ne voudrais un autre frère que lui. Il avait l'air vraiment content et on a fait notre drôle de «tope là» en prenant la précaution de ne pas se toucher.

Non, vraiment, mon frère n'est pas une asperge.

— Mais des fois, tu es franchement cornichon, ai-je précisé.

— Toi aussi, Michaël, a fait Charlotte, toi aussi tu peux être très cornichon. Ce doit être de famille.

Mon père, ma mère et moi avons prétendu être fâchés. Quant à ma copine, elle a piqué du nez dans son assiette, les joues rouge tomate.

Pénélope s'est portée à son secours.

— C'est vrai, Charlotte! Ici, les garçons sont vraiment des cornichons!

✳

Épilogue

Pour son travail d'éthique et de français, mon frère a obtenu un A. Il était très content et il m'a remercié. Je lui ai fait remarquer que ses professeurs l'avaient noté sur ses écrits, pas sur les miens, et qu'il n'avait pas à me dire merci. Il a eu un large sourire avant de me chuchoter à l'oreille que, d'après lui, mes passages avaient tout de même pesé dans la balance. Sur le coup, je n'ai rien compris. Les enseignants du secondaire utilisaient une fort étrange méthode de correction s'ils avaient besoin de déterminer le poids de ce qui leur était présenté. J'ai tenté d'imaginer comment ils procédaient. Ils découpaient le document et en déposaient les sections sur une balance électronique? S'apercevant qu'il m'avait complètement perdu, Michaël a reformulé ses propos.

— Je veux juste te dire que tu m'as beaucoup aidé, petit frère. Tu écris avec une grande sincérité. Je crois que tu as vraiment touché mes profs. Et quand est venu le temps de me donner une note, ils n'ont pas pu oublier tes mots si humains!

— Je n'aurais pas pu écrire autrement, Michaël. Je suis un homo sapiens sapiens. Pas une bête.

— Pas une bête et loin d'être bête. Je sais, Ludovic. Je sais.

Il m'a regardé avec des yeux tout brillants.

— Tu pleures? Pourquoi? ai-je demandé. Tu as de la peine?

J'étais tout mélangé. Michaël avait pourtant eu une belle note. Qu'est-ce qui le chagrinait?

— Non, Ludovic, je n'ai pas de peine. Je suis juste très, très content que tu sois mon frère. Je ne t'échangerais pas pour tout l'or du monde!

J'ai soupesé cette affirmation. J'ai essayé d'imaginer tout l'or du monde sur le plateau d'une balance à l'ancienne et moi de l'autre côté. C'était tellement disproportionné que je me suis senti catapulté vers le ciel comme une navette spatiale. Ça m'a fait rire.

Michaël a ri à son tour.

— Moi aussi, Michaël, je suis content que tu sois mon frère.

On a fait notre «tope là» de frères.

Puis maman nous a appelés. Le souper était prêt. On était jeudi: spaghettis sauce à la bolognaise. Ça finissait bien la journée.

Note de l'auteure

Le syndrome d'Asperger existe vraiment. Il touche environ un enfant sur mille et il est déjà visible avant l'âge de trois ans. Il est nommé ainsi pour rappeler que c'est Hans Asperger, un pédiatre autrichien, qui l'a décrit pour la première fois en 1943. Malgré son nom, il n'a donc absolument rien à voir avec les asperges! Par définition, les personnes atteintes du syndrome d'Asperger ont une intelligence normale. Parfois, comme c'est le cas pour Ludovic, les personnes avec ce syndrome ont des capacités spéciales (mémoire prodigieuse, maîtrise surprenante des mathématiques, etc.) Mais ce n'est pas toujours ainsi.

Comme Ludovic, les Asperger ont beaucoup de difficultés à se faire des amis. Ils ne comprennent pas bien le langage non verbal, c'est-à-dire tous ces signes et gestes qu'on utilise pour communiquer en plus des mots. Ils sont portés à rester seuls. Ils ont du mal à avoir des conversations parce qu'ils ont tendance à parler de ce qui les intéresse sans se soucier des goûts de leurs interlocuteurs. Souvent ils ont des intérêts très précis et inhabituels : par exemple les horaires de train, les animaux dont le nom commence par une lettre particulière, des périodes historiques spécifiques. Ils ont aussi des habitudes très enracinées et peuvent devenir très nerveux quand quelque chose d'imprévu survient. Pour se rassurer, ils bougent parfois d'une manière surprenante. Souvent ils vont tourner sur eux-mêmes, se balancer.

On pense que le syndrome d'Asperger vient d'une organisation différente du cerveau. On a déjà cru que des vaccins pouvaient causer ce trouble, mais les études ont montré que ce n'est pas le cas. Par ailleurs, les enfants Asperger ne sont pas devenus comme ils sont parce que leurs parents les auraient maltraités ou négligés. Ils sont nés comme ça. On ne peut pas guérir de ce trouble. Il est là pour rester. Mais on peut aider les enfants Asperger à mieux s'adapter avec certains traitements spécialisés offerts par des psychologues, comme madame Claudine dans le roman que vous venez de lire.

Parce qu'ils n'ont pas de retard mental, les Asperger sont la plupart du temps capables de devenir des adultes autonomes. S'ils ont de la chance, ils trouveront peut-être un emploi dans un domaine qui les a toujours fascinés. Ils n'auront probablement jamais de facilité à se faire des amis, mais ils pourront quand même être heureux.

Un jour, vous aurez peut-être le goût de lire ce que certains Aspies écrivent sur eux-mêmes. Pour ma part, j'ai été particulièrement touchée et émerveillée par le livre de Daniel Tammet *Je suis né un jour bleu*, ainsi que par ceux de Temple Grandin (cités dans ma bibliographie).

Si vous les lisez, vous découvrirez des personnes exceptionnelles, pleines de talents, qui gagnent certainement à être connues.

Bibliographie

GRANDIN, Temple. *Ma vie d'autiste,* Paris, éditions Odile Jacob, 1994, 200 pages.

GRANDIN, Temple. *Penser en images et autres témoignages sur l'autisme,* Paris, éditions Odile Jacob, 1997, 261 pages.

HOLLIDAY-WILLEY, Liane. *Vivre avec le syndrome d'Asperger : un handicap invisible au quotidien,* Bruxelles, éditions de Boeck Université, 148 pages.

MOTTRON, Laurent et collaborateurs. «Les troubles envahissants du développement : de maladie à différence», *Le Médecin du Québec*, vol. 45, no 2, février 2010, p. 27-62.

TAMMET, Daniel. *Je suis né un jour bleu,* Paris, éditions des Arènes, 2007, 237 pages.

VERMEULEN, Peter. *Comprendre les personnes autistes de haut niveau : le syndrome d'Asperger à l'épreuve de la clinique,* Paris, éditions Dunod, 2009, 165 pages.

WILLIAMS, Donna. *Si on me touche, je n'existe plus : le témoignage exceptionnel d'une jeune autiste,* Paris, éditions J'ai lu, 1992, 310 pages.

Table des chapitres

Chapitre 2	9
Chapitre 3	27
Chapitre 5	45
Chapitre 7	63
Chapitre 11	77
Chapitre 13	95
Chapitre 17	113
Chapitre 19	131
Chapitre 23	147
Chapitre 29	163
Épilogue	177
Note de l'auteure	179
Bibliographie	183

Lyne Vanier est née en 1962, à Montréal, et habite Québec. Psychiatre depuis 1988, elle se lance dans l'aventure littéraire en 2005 avec son premier roman *Maximilien Legrand, détective privé* publié aux Éditions Pierre Tisseyre. Sa bibliographie actuelle comprend plus d'une vingtaine de titres, dont deux romans lauréats du Prix de création littéraire de la Ville de Québec, soit *Les anges cassés* (Éditions Pierre Tisseyre, 2007) et *Cassée* (Éditions Porte-Bonheur, 2011).

Collection Conquêtes

80. **Poney,** de Guy Dessureault. Sélection Communication-Jeunesse

81. **Siegfried ou L'or maudit des dieux,** de Daniel Mativat. Sélection Communication-Jeunesse

82. **Le souffle des ombres,** de Angèle Delaunois. Sélection Communication-Jeunesse

83. **Le noir passage,** de Jean-Michel Schembré

84. **Le pouvoir d'Émeraude,** de Danielle Simard. Sélection Communication-Jeunesse

85. **Les chats du parc Yengo,** de Louise Simard. Sélection Communication-Jeunesse

86. **Les mirages de l'aube,** de Josée Ouimet. Sélection Communication-Jeunesse

87. **Petites malices et grosses bêtises,** collectif de nouvelles de l'AEQJ

88. **Les caves de Burton Hills,** de Guy Dessureault

89. **Sarah-Jeanne,** de Danielle Rochette. Sélection Communication-Jeunesse

90. **Le chevalier des Arbres,** de Laurent Grimon. Sélection Communication-Jeunesse

91. **Au sud du Rio Grande,** d'Annie Vintze. Sélection Communication-Jeunesse

92. **Le choc des rêves,** de Josée Ouimet. Sélection Communication-Jeunesse

93. **Les pumas,** de Louise Simard

94. **Mon père, un roc!** de Claire Daignault

95. **Les rescapés de la taïga,** de Fabien Nadeau

96. **Bec-de-Rat,** de David Brodeur

97. **Les temps fourbes,** de Josée Ouimet

98. **Soledad du soleil,** de Angèle Delaunois.
Sélection Communication-Jeunesse

99. **Une dette de sang,** de Daniel Mativat

100. **Le silence d'Enrique – tome 2,** de Annie Vintze

101. **Le labyrinthe de verre,** de David Brodeur

102. **Evelyne en pantalon,** de Marie-Josée Soucy

103. **La porte de l'enfer,** de Daniel Mativat.
Sélection Communication-Jeunesse

104. **Des yeux de feu,** de Michel Lavoie

105. **La quête de Perce-Neige,** de Michel Châteauneuf.
Finaliste au prix Cécile Gagnon 2006
Finaliste au Prix littéraire Gérald-Godin 2006
Finaliste au Prix littéraire Clément-Morin 2006
Sélection officielle de Bibliothèques et Archives Canada

106. **L'appel du faucon,** de Sylviane Thibault

107. **Maximilien Legrand, détective privé,** de Lyne Vanier

108. **Sous le carillon,** de Michel Lavoie

109. **Nuits rouges,** de Daniel Mativat. Sélection
Communication-Jeunesse

110. **Émile Nelligan ou l'abîme du rêve,** de Daniel Mativat.
Sélection Communication-Jeunesse

111. **Quand vous lirez ce mot,** de Raymonde Painchaud.
Sélection Communication-Jeunesse

112. **Un sirop au goût amer – tome 3,** d'Annie Vintze

113. **Adeline, porteuse de l'améthyste,** d'Annie Perreault

114. **Péril à Dutch Harbor,** de Sylviane Thibault.
Sélection Communication-Jeunesse

115. **Les anges cassés,** de Lyne Vanier. Prix littéraire Ville de
Québec 2008 et sélection Communication-Jeunesse

116. **... et je jouerai de la guitare,** de Hélène de Blois

117. **Héronia,** de Yves Steinmetz

118. **Les oubliettes de *La villa des Brumes*,** de Lyne Vanier. Sélection Communication-Jeunesse

119. **Parole de Camille,** de Valérie Banville

120. **La première pierre,** de Don Aker, traduit de l'anglais par Marie-Andrée Clermont. Sélection Communication-Jeunesse

121. **Trois séjours en sombres territoires,** nouvelles de Louis Émond. Sélection Communication-Jeunesse

122. **Un si bel enfer,** de Louis Émond

123. **Le Cercle de Khaleb,** de Daniel Sernine. Prix 12/17 Brive-Montréal (1992) et Grand Prix de la science-fiction et du fantastique québécois (1992)

124. **L'Arc-en-Cercle,** de Daniel Sernine. Grand Prix de la science-fiction et du fantastique québécois (1996)

125. **La chamane de Bois-Rouge,** de Yves Steinmetz. Finaliste au Prix du Gouverneur général 2010

126. **Le Pays des Dunes,** de Yves Steinmetz

127. **Liaisons dangereuses.com,** de Lyne Vanier. Finaliste au Prix littéraire Ville de Québec 2011, sélection Communication-Jeunesse

128. **L'après Alma,** de Myra-Belle Béala De Guise

129. **La malédiction du Grand Carcajou,** de Yves Steinmetz

130. **24 heures d'angoisse,** de Johanne Dion

131. **Le bal de Béa gros bras,** de Marie-Josée L'Hérault

132. **L'Empire des sphères,** de Yves Steinmetz

133. **Les exploits d'un héros réticent (mais extrêmement séduisant),** de Maureen Fergus, traduit de l'anglais par Marie-Andrée Clermont, Sélection Communication-Jeunesse

134. **Le yoga, c'est pas zen,** de Isabelle Gaul

135. **Les échos brûlés,** de Lyne Vanier. Finaliste au Prix jeunesse des univers parallèles 2012

136. Gudrid la Viking, de Susanne Julien

137. Meurtre à distance, de Susanne Julien

138. La cité de verre, de Yves Steinmetz

139. Match parfait, de Carl Dubé, Sélection Communication-Jeunesse

140. L'échange, de Isabelle Gaul, Sélection Communication-Jeunesse

141. Le frère de verre, de Lyne Vanier. Finaliste au Prix littéraire Ville de Québec 2013, sélection Communication-Jeunesse

142. Mirage, de Jacinthe Trépanier

143. Le poisson d'or, de Daniel Mativat

144. Poudre aux yeux, d'Isabelle Gaul

Ce livre a été imprimé
sur du papier enviro 100 % recyclé.

Empreinte écologique réduite de :

Arbres : 0

Déchets solides : 69 kg

Eau : 2 731 L

Émissions atmosphériques : 0 kg NOX

Ensemble, tournons la page sur le gaspillage.

certifié   procédé   100 % post-   archives   énergie
                sans   consommation   permanentes   biogaz
                chlore